JN089557

前書き

先ごろ、「コロナが終息したら、どこの国を旅行したいか？」という中国のあるオンラインのアンケートで、日本は欧米をはるかに上回り、一番行きたい旅行先となった。

中国人の日本旅行ブームには、根拠となる経緯がある。二〇〇九年に中国人の日本への自由旅行が開放され、ビザ取得が立て続けに緩和されたため、二〇一九年までの十年間で、日本を訪れる中国人は年々増加し、日本で中国人観光客の姿をよく見かけるようになっていた。コロナ前の二〇一九年、日本を訪れた外国人観光客は三千百八十八万人に達し、そのうち中国人観光客が三割近くを占めて九百五十九万四千三百人で、過去最高の数字となった。

二〇一六年に、笹川日中友好基金は、中国の鈍角メディア（一杉広告）と協力して、中国のSNSアプリであるウィーチャット上にメディアアカウント「一覧扶桑」を開設した。笹川日中友好基金は一九八九年の設立以来、中国沿海都市市長の訪日交流、日中佐官級の相互訪問交流、中国大学生の訪日研修、メディア関係者招へい及び日中学者対話などのプロジェクトを企画・実施し、日中両国間の民間交流に取り組んできた。「一覧扶桑」はプロジェクトの成果を紹介することに力を入れているだけでなく、日本に対して深い観察力を持ち日本をよく知る作家にコラムニストとして執筆をお願いした。日常的な記事の紹介により、多くの中国の読者は、日中両国の文化と生活面での相互交流の発展と成長の方向が理解できる。新型コロナウイルス感染拡大後、日中両国の人々が面と向かって交流する機会が減少する中でも、リアルタイムでの日本人の生活や社会の現状についての紹介を続け、民間の相互理解を深めている。

二〇二二年は日中国交正常化五十周年にあたり、日中関係における重要な節目に際して、「一覧扶桑」の中で代表的な文章を選び、本書にまとめた。この本を通じて、日中民間友好に対する私たちの願いを伝え、両国民の相互理解が促進されることを心から願っている。また、コロナ終息後、中国でも日本でも、視野を広げたより多くの人々が、日常のなかで具体的で生き生きとした交流活動に参加することを期待している。

新型コロナウイルスが発生した直後、日本から中国に寄贈物資が送られ、「山川異境、風月同天」という言葉が中国のネットユーザーの間で話題になった。千年以上前の遣唐使の時代を思えば、同じくこの詩に心を打たれた鑑真和上は日本に渡ることを決意し、紆余曲折を経て、ついに日中の歴史上の偉大な文化交流を実現した。日中国交正常化から半世紀が過ぎた今、この本をもって日中交流の意義を改めて振り返りたい。山川を隔て、異国の地にいながら、同じ風に吹かれ、同じ月を仰いでいるという、この言葉の真意が、コロナ禍の今の世界でこそ、より理解できるのではないだろうか。

日中両国民の友情が末永く続くことを心より願っている。

二〇二二年八月

編者

目次

凡例

一、本書は中国語版の原著を日本語に翻訳したものであり、本文中における他の書籍などからの引用部分については、必ずしも元の書籍などの原文通りではなく、中国語版からの訳文となっていることがある。

二、注がある場合は、各文章の最後に記載した。

第一章 よい教育とは何か

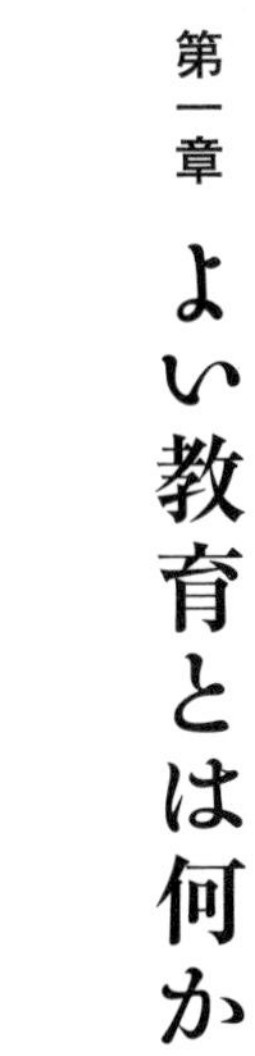

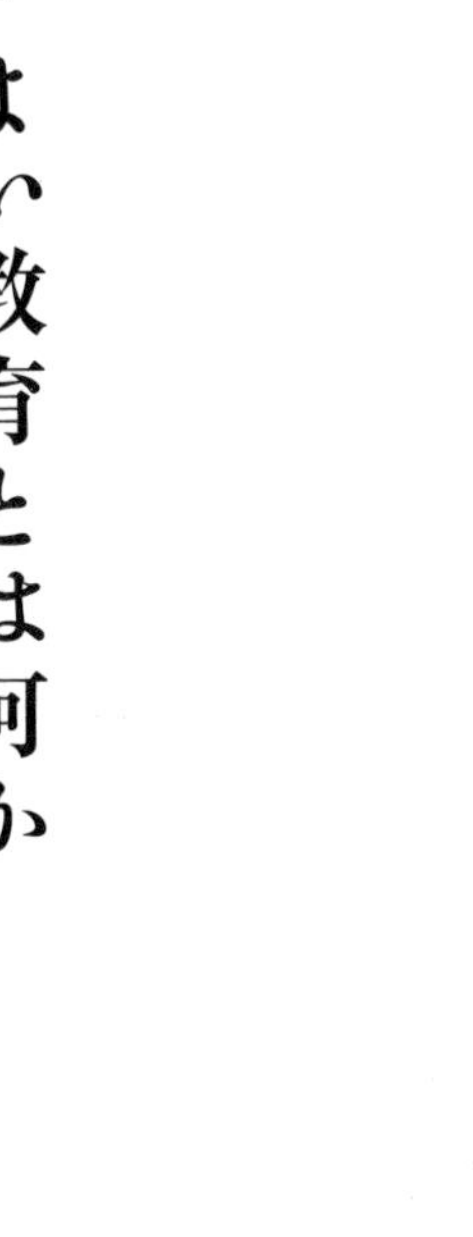

中国人の「エリート教育」と日本人の「生きる力を育む教育」

唐辛子

娘の成長日記を付けていることから、私は、日本の教育について紹介する文章を書いたことが何度もある。だから、「中国と日本の教育の一番違うところは何?」とよく聞かれる。

それに一言で答えるなら、教育において重視されているのが、中国では「才能」であり、日本では「生きる力」である、ということになる。

例えば、現代の中国の教育を見ると、今流行しているのは「スタートラインで負けるな」であるが、私は、これこそが中国の典型的な「エリート教育」の考え方であると思う。子どもは幼い頃から広い知識を身に付けることを求められる。それは、唐詩宋詞の暗唱ばかりか、英語を流暢に話せることだったり、ピアノや絵画に秀でていたり、その他いろいろなことができたりすることである。こうでなければ、スタートラインで勝てないと考える親もいるのだ。

もちろん日本にもエリート教育はある。しかし全体的に見て、日本人はそれ以外に、幼い時期の「生きる力を育むこと」を特に重視している。それは、子どもは成人したら、社会に出ていかなければならないからである。「社会」という公共の空間において、いかに常識を身に付け、公共の秩序とマナーを守り、文化的な社会に必要な公徳心を養うか——これは子どもの頃から学んで、わかっておかなければならないのである。

だから、日本の家庭や学校では、幼い子どもの教育に関して、「身体能力」と「習慣」の二つが特に重視されている。

「身体能力」の育成というと硬い表現になるが、それは「体を鍛える」ということであり、簡単に言えば「自由に遊ばせる」ということになる。日本語には「風の子」という言葉がある。日本に来た友達は、皆「日本の子どもは寒い冬にどうして裸足でいるの？　靴下も穿かないで風邪を引かないの？」と驚くが、そのとおりなのである。日本の子どもは寒い冬にも、裸足であるばかりか、半ズボンしか穿いていない。女の子は雪が降っていてもスカートを穿き、足をむき出しにして、雪が積もった道を歩くのである。

私は、日本に来たばかりの頃、こういったことがよくわからず、日本人の友達に尋ねてみた。すると「子どもは風の子だから、薄着をさせてやらないと、外で元気に遊び回れないよ」という答が返ってきた。

日本の親は、「子どもが外で遊び回る」ことをとても大切に思っている。日本の子どもは、小さい頃から親に連れられ公園に行って遊ぶだけでなく、幼稚園に行ってからも先生と工作などをする以外は、園庭で裸足になって追いかけっこをしたり、砂遊び、泥遊び、お遊戯などをしたりと遊び回っている。

実は、我が子が幼稚園に上がる時に、あれこれ悩んで、子どもを中国へ帰そうかとまで考えていた。その理由は、日本の幼稚園や小学校では、毎日遊んでばかりで、勉強の時間が非常に少ないからだ。教育熱心な私は、我が子がスタートラインから出遅れるのではないかと、その頃心配していたのだ。

けれど、日本のお母さんの話を聞いて、やはり子どもを日本の幼稚園に行かせることにした。そのお母さんはこう言った。子どもが遊び回ることを馬鹿にしたらいけない。外で遊ぶ時間が長いほど、運動量も多くなって、運動能力や体力の向上に非常に役に立つ。人の体力はとても大切なものなのだ。なぜなら大学進学などの肝心なときに、最終的にものを言うのは体力だからだ。体力があってこそ、頭脳は明晰な状態を保ち、持久戦に耐え、本番で力を発揮できるのである。

その日本のお母さんが言うことは、もっともである。大学入試といった人生を決める大事な試験の時だけでなく、将来子どもが成人して社会に出てからも、実は運動能力や体力は非常に重要なのである。例えば、貿易の交渉の場はみな長期戦になり、持久力が大変必要とされる。そして一人の人間の持久力というのは、その根気や忍耐力と等しい。十分な体力があってこそ、頭脳をはっきりと保ち、自信にあふれ、ぶれることなく満足のいく結果を得られるまで頑張り続けることができるのである。

「風の子」の考え方から、日本の住宅地には皆、無料の児童公園が設置されている。そして、どの公園も砂地で、その上、砂場がある。それは、子どもたちが裸足で砂地を走り回ったりするためのもので、砂地はとても柔らかくて、裸足で走り回ってもけがをすることはまず無い。

日本の幼稚園や学校のグラウンドも、同じく砂地である。その上、毎年冬になると、子どもの体力と忍耐力を付けるために、日本の幼稚園や小学校では、持久走が行われる――早朝、子どもたちは半袖シャツに短パンの体操服を着て、先生に引率されてグランドを走るのだ。一年生が八百メートル、二年生が千二百メートル、三、四年生になると千五百メートル、五、六年生ともなると二千メートルも走らなければならない。もちろん、学校により状況は様々であると思われるが、どの幼稚園や小学校にも「冬季持久走」があるという点は同じである。気温が零度を下回る中、子どもたちは半袖短パン姿で体が温かくなるまで走り回る。その後一日の学習と生活が始まるのだ。日本人があまり寒がりでないのは、こういった耐寒訓練と関係が深いのではないか。

日本の生きる力を育む教育では、運動能力の向上以外に、幼い子どもの「生活習慣の育成」にも力が注がれている。

娘が小学校一年生だった頃、「努力達成度自己チェック表」を持ち帰ったことがある。これは、小学校低学年の子どもが達成度を自分でチェックする表で、以下の十四項目からなっている。

一、早寝早起きする
二、一日三食すべてきちんと食べる
三、好き嫌いせず、何でも食べる
四、いつも正しい姿勢を保つ
五、明るく元気よく大きな声で挨拶する
六、けがをしていない
七、食べた後、歯を磨く
八、手洗い、うがいをきちんとする

九、外で、元気いっぱい遊ぶ
十、ハンカチとティッシュペーパーをいつも携帯する
十一、借りた物はきちんと返す
十二、友達と仲良く遊ぶ
十三、友達の悪口を言わない
十四、友達とけんかをしない

この低学年児童の「努力達成度自己チェック表」十四項目の中には、「遊ぶ」という言葉が二回出てくるのに、勉強と関係する項目はまったく無い。ここから、日本人が「遊ぶ」ということを非常に大切に見ていることがわかる。先にも述べたが、「遊ぶ」ということは、子どもの体力の増強や、健康や運動能力に関係するのである。だから、「外で元気いっぱいに遊ぶ」ことが習慣になれば、その子は成人してから、外で活発に動くことが好きな大人になるのである。

「遊ぶ」に関することが二回出てくる以外に、「きちんと食べる」「好き嫌いせず何でも食べる」とあるように、「食べる」に関することが二回出てくる。二十一世紀になってから、日本では「食育」が非常に重視されるようになった。「食」という字が「人」の下に「良」と書くように、よい食べ物を食べてこそ、健康になれるのである。だから、「食育」においては、子どもの頃から食の安全を理解させるだけではなく、健康にいい食べ方をわからせる必要がある。

例えば、日本の「食育」では、子どもに、食事は「よくかんでゆっくり飲みこまなければいけない」

ない。

教えている。よくかんでゆっくり飲み込むのであれば、食べ物はしっかり咀嚼され、胃腸に入ったあと、栄養が十分に吸収される、さらに胃腸に不要な負担をかけない。一方、早食いの場合、食べ方が見苦しいだけでなく、食べ過ぎになりがちである。食べ過ぎが肥満の主な原因であることは、言うまでもない。

以上をまとめると、健康のためには、幼い頃から、外でよく遊び、きちんと食べるという、この二つの習慣を身に付けることが大切だということになる。

その他、「遊ぶ」「食べる」ことの他に、「友達と仲良く遊ぶ」「陰で悪口を言わない」「友達とけんかをしない」と友達に関することが三回出てくる。その意味は、人は、社会活動に参加する社会的動物として、自分を高めるだけでなく、人間関係の上手な扱い方を理解しなければならないということである。だから、小学生の頃から周囲の人と良い関係を築くことは、とても大切なのだ。現代の文化的な社会の中で、良好な友人関係や社会関係、秩序ある公共的空間を築くためには、小さい頃からの教育が必要なのである。

日本社会の常識の根幹は、人に迷惑をかけないということである。どうしたら迷惑をかけないでいられるのか。まずは、身体が健康であること、次に良い習慣を身に付けていることである。その上に、寛容と思いやりの気持ちがあれば、社会や自身の人間関係において、求められる人になるのだ。

校長先生はなぜ最初に給食の試食をするのか

唐辛子

上海電視台がドキュメンタリー番組の制作のために来日し、現在の日本の小学校教育の状況を紹介するために、娘の学校での一日の生活の様子を密着取材した。

昼食前、私たちは日本の小学生がどのように学校で昼食を取るのか撮影しようと、体育館前から教室へ向かっていた。校長室の前を通ると、扉が開いていて、中で校長先生が背筋をしっかり伸ばした姿勢で、給食を食べているのが見えた。驚いて、つい食事中の校長先生を見つめてしまった。

私の視線に気が付かれたのだろう、校長先生はすぐに出てこられ、次のように話された。

「給食を毎日一番に食べるのは私です。それは私が校長だから優先されているというのではなく、『試食』が必要だからなのです。給食は子どもたちや先生たちのために用意するものですから、校長は責任者として給食ができてからどれほど時間が経っているか、栄養はどうか、既定の献立表に従って調理されているかを点検しないといけないのです」。

毎日校長が最初に給食の試食をする、これは日本の学校が、校長の責任において給食を安全に管理する一環なのである。

学校の食事、これは日本語で「学校給食」と呼ばれている。もっとも早い給食は、明治時代一八八九年にまでさかのぼる。そして、給食に関する最も古い法律は、戦後の昭和期一九五四年に制定された。当時給食に求めるものは主に「栄養」であり、地方公共団体に対しては「学校給食を普及、発展させればよい」としていた。その後平成の一九九六年に大阪府堺市で学校給食による集団食中毒事件が発生し、九千五百二十三名の児童が発症、そのうち三人の児童が亡くなった。翌年日本では「学校給食衛生管理基準」が制定され、二〇〇三年、二〇〇五年、二〇〇八年と三回にわたり改訂された。

「学校給食衛生管理基準」にはたくさんの細則があるが、ここでは紙面の関係から「調理設備」に関する部分の最初の数ページのみ例として紹介することとする。

一、学校給食の調理設備は、固定してはならず、必ず可動式のものでなければならない。この良い点は、調理中に衛生面での死角が生じず、調理後洗い場においてきれいに洗うことができるところである。また調理場の床をぬらすこともない。調理場の床は一滴の水もこぼしてはいけない。これは細菌の繁殖を防ぐためである。

二、全ての移動性の設備に、汚染されない保管場所を設けなければならない。これは、洗浄、消毒済みの調理設備が保管中に汚染されるのを防ぐためである。

三、給水給湯設備は、必要な数を使用に便利な位置に設置し、給水栓は、手指を触れることのないよう、肘等（もしくは足）で操作できるレバー式にする。

これは説明するまでもなく、読んでのとおりである。やはり、接触による汚染を防ぐためである。

四、調理した食品を調理後二時間以内に給食できるようにするための配送車を、必要台数確保しなければならない。

加熱処理した食品も、完全な無菌状態ではない。細菌の繁殖と気温と時間には密接な関係がある。気温が三十度くらいのとき、二時間後から細菌は繁殖を始める。したがって、二時間以内にすべての配送を完了しなければならない。

五、学校給食従事者専用手洗い設備を設置しなければならない。

専用手洗い設備は、調理場から三メートル以上離れていないといけない。更衣室、手洗い室、個室トイレを設置する。トイレの前には必ず調理着やマスクを取り、トイレの使用後は、手洗い場にて個人用のブラシで手指を洗う。洗面台は肘まで洗える大きさのものを設置する。給水栓は、肘（足）等で操作できるレバー式でなければならない。

細則は他にもたくさんある。例えば、野菜は必ず三層式のシンクで洗い、室内の温度は常時二十五度以下、湿度八十パーセント以下に設定する。エアコンの風が調理器具に直接当たらないようにする。

これ以上書くと、まるまる一冊の本になってしまうので、紹介はここまでにしておく。

日本のドラマが好きな人なら、二〇一六年秋、フジテレビの木曜劇場で放映された『Chef ～三ツ星の給食〜』のこの場面を覚えているかもしれない。三ツ星レストランの総料理長の星野光子は、陰謀により「食中毒」を引き起こしたとされて、どこのレストランでも働けなくなってしまう。そこで、しかたなく彼女は、あるドキュメンタリー番組に出演することにし、三百人余りの子どもの給食を作るために三つ葉小学校に赴く。

プライドの高い星野光子であるが、彼女は、学校給食を調理してみて初めて、給食の調理は三ツ星レストランの総料理長をするより大変であることに気付く。学校栄養士は、メニューの作成はもとより、調理士たちと一緒に衛生管理をしないといけない。厨房の清掃と消毒、毎朝送られてくる食材を一つ一つきちんと検査し、表面温度を測る。厨房の床は、細菌の繁殖を防ぐため、一滴の水もこぼしてはいけない。野菜を切るときは、専用の防菌された器具を使う。給食を作るときは、白い調理服、帽子、マスク着用、あらゆる食材は規定の時間内に調理を完成させる。そして時間厳守で給食を開始する……。

こうして星野総料理長は、ドキュメンタリー番組のプロデューサーから当初言われた言葉の意味を理解したのである。プロデューサーは次のように言っていた。

「星野料理長、学校給食で一番大事なのは何か知っていますか?安全・安心ですよ。今では、どこの学校の調理室も、どんなレストランよりも衛生的に管理されていますよ。給食は、厳格な衛生管理の下に作られるのです。もしあなたが給食の調理に成功したら、三ツ星レストランに帰りたいという希望は叶うのでは?」

現在、日本の学校給食は、自校方式とセンター方式に分かれる。自校方式に比べ、センター方式の弱いところは、センターから各校に配送するのに時間がかかるため、保温が難しいことである。また、センターからたくさんの学校に給食を提供するため、もしどこかで食品の安全に問題が生じれば、大規模な食中毒事件に発展してしまう、という問題もはらんでいる。

したがって、文科省は自校方式を推奨している。文科省の規定によると、自校方式ではそれぞれの学校が、児童・生徒数に応じて国家資格である栄養士の資格を持つ職員を配置できる。学校栄養士は、各都道府県により採用された地方公務員であり、仕事内容は主に、カロリーや炭水化物、脂肪、タンパク質、各種ビタミンの量を計算し、子どもの成長に役立つ献立を考えることである。

日本の学校では、通常二週間前に次の一か月の献立を決め、プリントにして子どもに家へ持ち帰らせている。それは、保護者に、学校のメニューと重ならないように家でのメニューを考えてもらうためである。メニューは一か月単位で決められており、毎日のメニューは異なっている。日本食、洋食、中華をメインに、基本的に重ならないようにしている。メニューには、他にカロリー、塩分、栄養素などや、生産地が明記されている。

一般的に、学校給食では主に地元の食材を使う。その方が輸送コストもかからないだけでなく、新鮮で栄養豊富だから子どもや保護者にとっても安心である。多くの日本人は、自分のところの物こそよいと信じこんでいる。メイド・イン・ジャパンがよい、近所でできた物がよい、もちろん、自分の家でできた物ならもっとよい、と考えているのだ。

食物養生で有名な石塚左玄は、一八九六年にその著書『食物養生法』の中で、「体育も智育も才育もすべて食育にある」と述べている。百年余り後の二〇〇五年、日本政府は、「食育基本法」を制定し、家庭、学校、保育所、地域などを一つの単位として「食育」を全国に推進した。

食育に関する知識の普及は、学校栄養士の主な仕事の一つであり、子どもたちに栄養や食品の安全について教えるだけではなく、保護者に対しても、定期的に講座を開いて食育の大切さを伝えなければならない。そのおかげで私は、食育に関する講座に参加して、朝ごはんが子どもの成長にとってどれほど大切か知ることができたのだ。

大脳は毎日約百二十グラムのブドウ糖を必要とする。私たちの血液中のブドウ糖の約五十パーセントが大脳で消費される。そしてブドウ糖になるのは、デンプンが多く含まれるご飯や麺類などの主食である。これらを食べて約三十分後に血液中のブドウ糖（血糖）は最高値になり、しだいに大脳へと送られていく。残ったブドウ糖は肝臓でグリコーゲンとして蓄えられ、大脳が必要とするときにまたブドウ糖として送られていくのである。

しかしこのような貯蔵は十二時間が限界である。だが、人が眠っていても大脳は働いているから、起きてから朝食前までの時間が、脳の血糖値が最低で、エネルギー源が最も不足している時なのだ。

だから、朝ごはんを食べないと記憶力が低下し、仕事の効率も落ちる。子どもが朝ごはんを食べないと、成長や発育に悪いだけでなく、授業中も集中力に欠け、いらいらして怒りっぽくなってしまう。

以上のことを知ってから、私はどれほど忙しくても、早起きして娘の朝ごはんを作る。しかもその際に、食育で教えられたように、栄養のバランスを考えて以下の四つの食品群を含むようにしている。

① 卵、牛乳、乳製品

② 魚、貝、肉、豆、豆製品

③野菜、イモ類、果物
④穀物、油脂類、糖類

以前読んだ日本語の児童書に、「食」という字の書き方があった。「食」は「人」に「良」と書く。それは、人はおいしい物を食べて健康になるという意味である。そして良い物の条件とは、まず安全であること、二つ目に栄養があり、三つ目においしい、ということだ。安全で栄養豊富なおいしい物があれば、どんな人でも、心が感謝で満たされるであろう。

子どもの性の質問への母親の回答から考えたこと

姜建強

日本のルールは、世界では通用しないのか？　日本の常識は世界の非常識なのか？　あるいは、日本のルールは世界のルールなのか？　日本の常識こそが世界の常識なのか？　もしかしたら、これらの質問は以下のように置き換えることができるかもしれない。

戦後の廃墟から抜け出した日本は、アジアの中で先頭を切って発展したが、この間、社会が大きく乱れることもなく、秩序は穏やかに保たれてきた。これはなぜか？　この奇跡はいかにして起きたのか？　人々は驚き、感嘆した。これは、たくさんの国、たくさんの政治家が求めてやまない発展の仕方なのだ。貧困から脱出し、民度や文化レベルを上げるのに、代価は最低限か、うまくいけばゼロ。そうなれば国民は、きっと喜んでこう言うだろう。太陽は宮殿や下水道すべてを照らす。月は山上だけでなく、雑木林にも昇る。というのは、以前は、太陽が照らすのは宮殿だけ、月が昇るのは山からだけだったからだ。

こんなことを振り返っていると、以前ツイッターで話題になっていた話を思い出した。母親が小学校三年生の息子を連れてコンビニに行った時に、息子が突然尋ねた話である。「コンビニにはどうして『エロ本（成人雑誌）』が置いてあるの？」

息子のこの突然の質問に、母親は慌てた。しかし、冷静になってこう答えたのである。「大人にはね、女性のパンティーや胸を見たくなるときがあるの。でも、もし道を歩いている人のパンティーや胸を、見たいからといって勝手に見たら、警察に捕まってしまうでしょ？　じゃあどうしたらいいかと言うと、エロ本を見るしかないの」。

この母親の答は、たくさんのツイッターのユーザーに賛同され、拡散された。あるユーザーは次のように言う。「子どもにとって、親に嘘をつかれたりごまかされたりするのは、自分が信用されていないようで辛いものだ。それは、将来子供に悪い影響を与えることになるかもしれない。だから、投稿者さんのように誠実に答えるのはすばらしい」。この母親が、ごまかすことなくはっきりと答えているのは明らかだ。このツイートがたくさんの「いいね」を得た理由は、そこにある。親の子供への態度として、うそをつかず、ごまかさないということこそが、大原則ではないか。母親の回答は、教養の高さを感じさせる。教養とは、数値化できない総合的なものである。日本の「親子で入浴」の習慣にも、これと同様のことが言える。日本では子どもが十歳を過ぎる頃まで、親子で一緒にお風呂に入ったりする。日本人は、この「浴育」のいいところを、誠実に、隠し立てなく、ありのままの姿で、親子がふれあえるところだとしている。一緒に入浴することで、肌と肌を触れ合わせ、気持ちが一つになるだけでなく、親が身体の発育について教えたり、悩みの相談に乗ったり、ゲームや歌などいろいろな遊びもできるのだ。

人気アニメ『ちびまる子ちゃん』にも、小学校三年生にもなるまる子が、父親とお風呂で一緒に歌を歌う場面があるが、誰もそれを見て眉をひそめることはないだろう。

話を戻して、なぜこの奇跡が起きたのか考えてみよう。この問題を考えたとき、まず私の頭に浮かんだのは、何年か前にヒットしたドラマ『半沢直樹』の中の樹脂でできたねじである。この錆びず、三百度の高温にも耐えられるねじは、日本という国の品格と技術の象徴である。この話から、私は福沢諭吉の言葉を思い出す。「慶應義塾のある限り、日本の洋学の命脈が絶えることはない」。

日本を見つめ、日本について考えるほど、意図するところは明らかになってくる。他の国の文化のかけらであっても、この国の人は腰をかがめて拾い上げ、心の奥底にしまい、いろいろなものをつなぎあわせて一つの文化として完成させる。その優雅さと神秘性は、新鮮な山の水、薄暗い物陰、湿り気を帯びた霧の中にともる火の中で育まれるのだ。

現在、日本人の大部分は自分が儒教徒であるとは思っていないし、日本が社会主義国であると言う政治家はいない。しかし、ある意味、日本は大同社会の様相を呈している。

『鄧小平時代』で知られる有名なアメリカの学者エズラ・ヴォーゲルは、一八七〇年代にベストセラー『ジャパン・アズ・ナンバーワン』を書いた。東アジア研究の専門家である彼の意見は次のようなものだ。「日本が成功したのは、伝統的な国民性や美徳が理由ではない。それは、日本独特の組織力、つまり措置と緻密な計画によるところである」。私はこの見解に疑問を感じる。

措置と緻密な計画はどこから生まれるのか。これらはなぜ達成できるのか。これは、人の品格と関係があるのではないか。これこそが天性の文化のなせる技ではないのか。これらの関係を切り離して考えることはできないだろう。これらをバラバラにして、何を持って緻密さと能力を語るのか。非常に聡明な政治学者なのに、日本の文明の持つ天性には触れず、日本の高度成長を経済の視点でのみ捉え、結論を導こうとしている。しかし、どのようなことも答えは一つではない。こういう点で、エズラ・ヴォーゲルは日本の研究者ほど優秀ではない。

日本の研究者で官僚でもある堺屋太一は、一九九〇年代に出版した著書『日本とは何か』の中で、「経済は、国家や国民が目指す理想を達成する手段の一つに過ぎない。歴史という長期的な視野に立つと、現在の日本の繁栄は、蓄積された日本文化が一瞬淡く輝いているだけだ」と述べている。ここで注意したい論理は、繁栄と文化の関係である。文化は長期に蓄積されることで、また新たな文化を生み出す。だから繁栄と文化はつながっているということだ。

日本は島国であるから、世界に君臨して文化を統率することはできないのは自明のことである。英語で『茶の本』を書いた岡倉天心は、その数年前の著作の中で、「仏教哲学の中に東洋の普遍的な原理と呼べるものを見つけた」と述べ、それを「アジア文明の博物館」と名付けた。これは、目に見える形で滅びてゆくものへの挽歌であり、そこで表されているのは、どうにもならないことへの心理的な代償である。

しかし、視点を変えると、日本の「小さな幸せ」「清新さ」「小さくて美しいもの」、そして、本質としてのすべてにやさしい文化、ゼロ成長幸福の精神は、世界の鑑としての意義がある。

早稲田大学文学部を卒業し、中国国際放送日本語部のラジオパーソナリティを務めたことのある青樹明子は、日本経済新聞中国語版の週連載コラムに寄稿もしている。以前「世界で一番幸せなのは何か？」というテーマで、以下のように書いた。

最近、中国の若者から、「日本の女性は、結婚相手に何を求めるか？」とよく聞かれる。私は、しばらく考えてから「愛情と優しさでしょう」と答える。

すると、男性の場合、例外なく驚いて言う。「たったそれだけ？　家、車、お金は求めないの？」その答は「それはあるに越したことはないけれど、愛があればいいの」である。

青樹明子はこう締めくくっている。「今日の結論は、日本の女性を妻に迎えるのが世界で一番幸せだということだ」。

こうしてみると、林語堂の言葉も時代遅れになっていない。幸せなことは、「アメリカの家に住み、日本人を妻にして、中国人のコックを雇う」こと。時間とともに人は変わり、お金は人を堕落させるというけれど、日本女性の天性の文化は変わらない。このことから、私は、千年前宮廷に仕えた才女清少納言が書いた『枕草子』の「なまめかしきもの」の一節を思い出す。「若い女房で美しげな人が、夏の几帳の帷子の裾を上に引っ張り上げて、白い綾の単衣に、二藍の薄物の表衣を着重ねて、手習いをしているもの[※]」。もちろん『源氏物語』にも、「女性はあまりにも賢いと、面白みがなくなる。あまりにも才能にあふれていると男が逃げていく」という女性論がある。

日本女性は、日本のソフトパワーの一部となっているようだ。外国人観光客が日本の風俗店に遊びに来て、まず相手の女性が日本人であるかどうかを聞く。この確認が必要であるということから、日本女性の名声が高いことがわかる。故飯島愛が『プラトニック・セックス』で尋ねている。「私のために泣いてくれる男性はいる？　皆、終わったらさようなら。私を愛してくれていてもあのときだけ。寂しい。

素敵な男性はいないの?」ここには、良い男性を探す女性と、すてきな女性を探す男性がいる。

一五四三年に種子島に漂着したポルトガル人から火薬と火縄銃を伝えられた日本人は、次の年には、自分で銃を作れるようになっていた。一五七五年長篠合戦で、織田信長率いる鉄砲隊が、武田勝頼率いる騎兵隊と戦い、千発の銃弾が連発されたその壮観さは、今に至るまで教科書に掲載されている。その時、信長率いる一万人の鉄砲隊が、勝頼の騎兵隊を全滅させたのだ。しかし、江戸時代になると、武士が身に帯びるのは、銃ではなく刀になった。真剣勝負の際は、最初に名乗りを上げ、一対一で戦う。

日本は鉄砲大国であったのに、その後鉄砲はなぜ発展しなかったのか。それは、武士道を守るためなのだ。というのは、当時の江戸幕府にとって、銃を捨てるのは、武士道を守る絶対条件であったのだ。確かに、日本人は愚かで視野が狭いとも言えるが、このことから明らかになるのは、日本人の確固たる不動の精神と自律心である。

この不動の精神を身近な例で見ると、サラリーマンの場合、現在でも男性はスーツに革靴、女性はきちんとした服装である。これは自律心から来るものだ。スマホ決済の時代になっても、日本人は相変わらず名刺を作り、初めて会う人には、お辞儀をし、名刺交換をして、「初めまして、どうぞよろしくお願いします」という決まり文句を述べるのである。

日本人もその中に偽善があるのはわかっているが、やはりそうすることを好み、守っている。偽善にもよいところがある。偽善の中に生きれば、ものに対する欲望は生じなくなる。サイードは『オリエンタリズム』の中で、西洋人が東洋の表象の構築に夢中になってきた理由を、東洋学とは一種の「物自体」であるからだとしているが、そのとおりである。

二〇一六年、トヨタの高級車ブランドであるレクサスがランドセルを発売した。このランドセルには、車と同じカーボン繊維が使われており、軽くて丈夫である。地震のときは、頭を守るヘルメットとしても使用できる。日本の小学生にとって安全材料がまた一つ増えて、多くの人が驚き、羨ましがった。では他の国に同じことはできるのか？　これに関連するデータがある。二〇一六年五月、日本の大学や日本語学校に在籍する外国人留学生は、二十三万九千二百八十七人に達し、同期比は三万九百八人の増加である。その中で、中国からの留学生が一番多く、九万八千四百八十三人で四千三百七十二人増えている。安全で文化的、学費が安い、サブカルチャーが発達している、近い。これが日本へ行く中国人留学生の主な理由である。以前は、欧米へ行く留学生が多かったのだが、ここ数年は日本へ行く人が多い。これは、総合的に見て、日本が認められたということの表れであろう。

また、日本に観光に行く場合、有名な所だからと遠路はるばるやって来て、目にするのは古びた木造の社寺で、がっかりする、ということがあるかもしれない。だが、これこそが日本の力なのだ。きらきらとした物を使用せず、千年の風雪に耐えた木造建築に新たな魂を宿らせる。京都を好きな人は多い。では、京都の何が好きなのか。それこそ、京都の古びたたたずまいではないか。

辜鴻銘は、今の日本人は、唐代の中国人であると言っている。華人の作家陳舜臣は、『日本人と中国人』の中で、「日本文化は、中国文化を薄めたものであるが、お互いに干渉することのない隣人である」と述べた。「唐代の中国人」であろうが、「薄めた中国文化」であろうが、「向学心」が日本の精神の原動力になっていることは間違いない。

一八六八年から一九〇〇年までの間、日本で働く外国人は八千三百六十七人であった。イギリス人が四千三百五十三人、フランス人が千五百七十八人、ドイツ人が千二百二十三人、アメリカ人が千二百十三人である。彼らに支払われる給料は、当時の一般公務員の約二十倍であり、中には総理大臣の給料を超える場合もあったという。

このように、日本の優れた才能を求めるという背景がわかれば、以下に述べることに対しても、変には思わないだろう。一八五五年に黒船が来航した頃からすると信じられないことだが、一九〇五年日露戦争で日本が勝利した。一九四五年の敗戦当時から見れば想像すらできないが、日本が一九九〇年に経済大国に躍進した。工業化による公害が深刻だった一九六〇年当時には夢にも思わなかったが、二〇一〇年には多摩川に鮎が泳ぐようになった。五十年を一つの区切りとするならば、二〇六〇年の日本は、どのような様相を呈しているであろうか。

二〇一三年『里山資本主義』が日本で脚光を浴びた。この本は日本総合研究所調査部主席研究員の藻谷浩介とNHK広島取材班との共著である。日本語の「里山」とは、田舎と山林という意味である。マネー資本主義の成長が限界に達した現在、いかにして都市住民を田舎に帰らせ、先人が作った休眠中の資源を使い、資本金ゼロで経済を再生し、新しい生活を構築させるか。それで思い浮かべるのは、ソローが文明生活の旅人として書いた『ウォールデン　森の生活』である。しかし異なるのは、「里山」は文明生活そのものであるという点だ。ここから言えるのは、日本人が提唱する里山資本主義は未来の新しい方式であるということで、これは他の先進国にとって大いに参考になるだろう。

日本人は、理性より感覚、明確な分析より曖昧な表現、理論的な思考より実用性を好む。組織化された技能は好きだが、広範な学術的概念は好まない。しかし、理性から得た真理の方が、直感から得た真理より優れているとは必ずしも言えない。これは、欠乏の苦しみから脱した後は、質素な食事でも豪華な会席でも大差ないようなものである。そして、役員は謙虚がよいか偉そうな方がよいか、エレベーターが開いたとき、人に譲るか、ずうずうしく体をねじ込むか、こんな違いから国の文化レベルを見ることができる。

日本人は世界人口のたった二パーセントであるが、世界の四十パーセントの薬を使っている。国民皆保険制度のおかげで、日本人は長寿であるが、長寿は孤独をもたらす。日本社会にとって、少子化はもはや恐怖である。しかし『動物化するポストモダン』を書いた哲学者の東浩紀は、「子どもは『暴力』である」とも言っている。

存在していない物を存在させるのは、どれほど恐ろしいことか。他の国が高速化を図っているときに、日本は新幹線のスピードをできるだけ抑えようとする。それは、スピードとともに騒音も大きくなる。騒音が大きくなると、昼は七十デシベル以下、夜は五十五デシベル以下という厳格に定められた基準値を超えてしまうことになるからだ。

話を最初に戻す。日本の母親はコンビニで息子の性に関する疑問にありのままを答えたし、日本では今でも親子が一緒に入浴する。これは日本人には当たり前かもしれないが、文化が異なれば当たり前ではなくなる。しかし、非常識にも見えることを日本人が当然としていることをエズラ・ヴォーゲルは、「日本人は頭の痛い問題をきれいに解決してしまう」と言った。日本ではペットの糞を持ち帰ることになっている。だから、犬を散歩させている人は、かならずシャベルと袋を携帯している。しかし、よく見るグラビアの中の、国際的大都市で犬を散歩させているおしゃれな女性は、片手で犬のリードを持ち、もう片方の手は何も持たず、ポケットに突っ込んだままなのだ。なぜスコップを持っていないの？　日本人はそう思うのである。

※小学館日本古典文学全集『枕草子』

「安全に注意」するより「危険を体験させる」方が大事である

唐辛子

日本では幼稚園から始まって、毎年、震災、火災、突発的犯罪などに備えるいろいろな避難訓練がある。このような避難訓練は、「危険を体験する教育」であると言える。避難訓練には、まず実際の災害に似た場面を設定し、その中で子どもたちは先生に引率されて逃げる。いかに整然と安全な所へ逃げるか、ということが大切なのだ。

私は、娘の成長日記の中で、幼稚園や学校の避難訓練について、何度も触れてきた。娘が四歳で、幼稚園の年中クラスだった頃の防犯訓練についての記載を紹介しよう。

娘が言った。「ママ、幼稚園に顔を隠した悪い人が入ってきたの」。

私はたいそう驚いた。なぜなら、我が家は引っ越して日も浅く、娘も家に近い幼稚園に転入したばかり。幼稚園は駅に近く高架橋の下にあって、安全面から見ると、いい場所ではなかったからだ。

私は、ドキッとして、すぐに娘の友達に「本当に悪い人が来たの？」と尋ねた。「本当よ」と友達は言った。「じゃ、どうしたの？　先生は？」「私たちは、先生の言うとおり、教室の戸を閉めて中で隠れていたの。先生は教室の外で、太い棒を持って、マスクの悪い人を追い出したの」。

それを聞いて私はほっとした。すぐに、新学期当初に幼稚園から配られた「年間スケジュール表」を探して見ると、その日の欄には、やはり「防犯訓練」と書いてあった。「覆面マスクの悪者」は先生だ。その日は、「防犯訓練」の日だったのである。

次に、臨海学校についての記載を紹介しよう。

六年生の娘が学校の「臨海学校」から帰ってきた。先生や友達と海辺で二晩キャンプをした娘は、さらに日焼けしていた。

娘に聞いた。「臨海学校はどうだった？」

「すごく怖かった。海に入るとき、まっすぐ沈んでいく感じがした。その時『死んじゃう！』と思ったけれど、死にたくないから岸に向かって必死に泳いで……浜辺に着いたときは体がガタガタ震えていたの……」

我が家の娘は、体育の中でも水泳が一番苦手である。だから、臨海学校でのできごとは深く心に留めている。日本は海に囲まれた島国であるから、安全面を考えると、自力で逃げるために小学校の頃から泳げるようにしておかなければならないのだ。だから、文科省の規定では、公立学校にはプールを設置することになっている。

小学校一、二年生の頃は、水泳の授業は水に慣れるための水遊びが主になる。三年生から泳ぐことが中心となる。子どもが習うのは、クロールと平泳ぎの二種類で、三、四年生では、クロール二十五メートル、平泳ぎ五十メートルを泳げなければならない。五年生では、クロール五十メートル、平泳ぎ百メートルである。六年生になると、「臨海学校」に参加しないといけない。経験のある先生の下、海に入り二百メートルを泳ぎ切ることが求められる。

「着衣泳訓練」に関する記載もある。

着衣泳訓練当日、私は訓練後の着替えの服を娘に持たせた。

小学校の低学年から高学年まで、毎年夏のプールの授業では、着衣泳訓練がある。これは、子どもが服を着たまま、すなわち「水に落ちた」状態から自力で助かるための訓練である。データによると、普段五百二十五メートル泳げる人が、服を着て泳ぐと泳げる距離は半分になってしまう、つまり二百五十メートルあたりで疲労困憊してしまう、ということである。だから、子どもが学校で泳げるとしても、水難事故の際に自力で助かるための訓練をしておくことは、非常に大切なのだ。

着衣泳では、以下のことを子どもに理解させる。

一、服を着たまま水に落ちるとはどういう感じか。
二、服を着て泳ぐ場合、どのような泳ぎ方がよいのか。
三、自分が服を着た状態で、どれだけ泳げるのか、タイムは?
四、服や靴などは、泳ぎにどんな影響を与えるか。
五、水面に浮かび上がったとき、大声で助けを呼べるか。
六、水に落ちたときに、服を脱ぐ必要があるか。

七、近くに浮く物があったら、どのように利用するか。
八、水温が非常に低い場合、注意しないといけないことは何か。
九、釣りなど水辺で遊ぶときに、絶対に守らないといけないことは何か。

日記から抜粋したいくつかの話の中から、日本では防犯訓練や臨海学校、着衣泳など、どれも「危険を体験させる」ためにあることがわかる。「危険を体験させる」目的は、しっかり記憶させることで、危険を未然に防ぐことだ。危険を避ける一番の方法は、危険から遠ざけることではなく、危険を熟知させることだからだ。その原理はワクチンと似ている。大人でも子どもでも、身近にある危険をよく知っていれば、心に抗体があるのと同様に、冷静に対策でき、安全を確保できるのだ。

日本では、高温のスクールバスに置き去りにするようなひどい事件は起きていないが、それでも若い両親が「少しの間だから」と、子ども一人だけを車内に残すことはある。日本自動車連盟（ＪＡＦ）の調査では、三割を超える親が、子どもを車内に一人で置いておくと答えている。「すぐ戻ってくるから」大丈夫と考えるのである。

このことから、ＪＡＦは車内の温度について実験を行った。データを用いて、保護者に対して、車内に子どもを一人で置いておくことの危険性を知らしめようとしたのである。

まず、五台のワゴン車を用意し、車内温度を二十五度に設定、その後、三十五度という高温の中に、正午から四時まで車を置いた。結果は以下のとおりである。

一台目は黒色のワゴン。ドアを閉め、クーラーを付けないでおくと、車内最高温度は五十七度、平均温度は五十一度、ダッシュボードあたりの最高温度は七十九度にもなった。

二台目は、白色のワゴン。ドアを閉め、クーラーを付けないでおくと、車内の最高温度は五十二度、平均温度四十七度、ダッシュボードあたりの最高温度は七十四度である。

三台目の白色のワゴンは、フロントガラスにサンシェードを置き、ドアを閉め、クーラーを付けないでおいた。車内の最高温度は五十度、平均温度四十五度、ダッシュボードあたりの最高温度は五十二度であった。

四台目の白色のワゴンは、窓を三センチ開け、ドアを閉め、クーラーは付けないでおいた。車内最高温度は四十五度、平均温度四十二度、ダッシュボードあたりの最高温度は七十五度であった。

五台目の白色のワゴンは、ドアを閉め、クーラーを付けた。車内最高温度は二十七度、平均温度は二十六度、ダッシュボードあたりの最高温度は六十一度だった。

以上の実験結果から、JAFは次のように結論を出した。サンシェードでフロントガラスを覆い、窓を開けていても、車内は高温になる。また、クーラーを付けても、エンジンをかけっぱなしにしなければならず、誤操作やガソリンが無くなることが起こり得る。

車内温度に関して、JAFはさらに実験をした。ダッシュボードあたりで七十度という高温度を小一時間ほど続けると、目玉焼きが作れ、ロウは溶け、ライターは亀裂が生じ、携帯電話は使用不能と表示が出た。

暑さ指数（WBGT）を見ると、車のクーラーをたった十五分間切っただけで、この指数が危険レベルにまで上昇することがわかる。特に体温調節がまだ不十分な幼児の場合、短時間でも高温の中にいると、体温が急上昇して死亡することもあるのだ。だから、「眠っているから」ということで子どもを一人車中に残すのは、極めて危険な行為である。

どうすれば、「子どもを車中に置き去りにする」事件を防げるか。私は、大人に高温の車中を体験させることが必要であると考える。子どもを安全な環境に置こうと思うなら、まず大人が危険を認識しなければならないのだ。

コロナ禍で、学者は子どもとどのように話すか

吉井忍

日本の放送局は、半国営放送的な「日本放送協会（ＮＨＫ）」の他に、民放が四系列百十一局あるが、私は主にＮＨＫを視聴している。ＮＨＫは比較的信頼できるし、コマーシャルがないからである。では、なぜＮＨＫが「半国営的」なのかと言うと、日本で唯一の公営放送でありながら、財源は主に「受信料」によっていて、政府の財政予算に組み込まれず、広告収入もなく、商業ベースではない独立した公共メディアであるからだ。※ニュース以外に、私が特に好きな番組は「子ども科学電話相談」である。番組は、一九八四年に始まって以来、大きく変わっていない。子どもが電話で質問し、各分野の学者が回答する。子どもに答えているのであるが、子どもからお年寄りまで、誰でも楽しめる人気長寿番組だ。

以前は、夏休み期間中だけだったが、毎週日曜日に二時間放送するようになった。番組は毎回、「こんにちは」のような挨拶で始まる。とは言っても、日常生活の中で、私たちはあまりこのような言葉を口にしなくなった。そして番組は、「ありがとう」「さようなら」で終わる。世の中は乱れて、少しでも

油断すると問題の渦中に巻き込まれかねないこの時代に、ラジオを聞けば、礼儀正しくきちんと進んでいく世界に触れられることに、私は不思議な安らぎを覚えるのだ。

コロナ禍の愛情

二〇二〇年三月の放送では、大変かわいらしく、また深い話を聞いた。電話は、小学校を卒業したばかりの女の子からのもので、北海道出身だというその女の子の話し方は素朴で、少し方言が混じっていた。

「おはようございます！　聞きたいんですが、人間には、一生に一人しか愛さない人と、そうではない人がいるようですが、なぜですか？　他の生き物も同じで、ハーレムを作る生き物と作らない生き物がいますよね」。

毎回、専門が異なる三人の学者が質問に答えることになっている。司会者が子どもの質問を受けた後、もっとも適した学者を紹介する。今回答えたのは、脳科学者だ。

「はい、こんにちは。ハーレムを作るかどうかは、遺伝とその生物の文化によって決まります。でも、今回は人間についての質問ですよね。二十年ほど前に、私たちもこれと似たような問題を真剣に考えたことがあります。その頃、離婚率が上がって、自殺する人も増えたから、遺伝子と関係があるのではと考えて、統計を取りました。ある種の遺伝子と結婚回数は関係があるのかどうか。どうもあるようなのです。そこで、学者の中には、すぐに論文を書いて、得意そうに講義する人もいました。これは、遺伝子決定論といって、私たちの人生はすべて遺伝子により決まっているというものです。しかし、何年かして、遺伝子の影響はそれほど大きくないことがわかりました。つまり、あることがある結果と関係しているということと、あることが具体的な結果につながるということは、違うのです。この点はわかりますね？」

女の子は、「はい」とだけ答えた。深い問題なので、洗い物をしていた私は、水道の蛇口を閉め、手袋をはずし、ラジオの音がよく聞こえるようにした。脳科学者は続いてこう言った。

「よろしい。だから、一つの結果の背後には、遺伝子以外のたくさんの原因があるのです。『苦み』を例に挙げると、生まれつき苦みを感じる遺伝子を持っている人といない人がいます。猿も同様です。もし、苦みを感じる遺伝子を持っていない猿が、自分の集団の中にいる別の猿が苦い物を食べているのを見たら、やはりいっしょに食べます。つまり、ある遺伝子の有無にかかわらず、周囲に影響されて、周囲と同じような行動を取るということなんです。遺伝子ですべてが決まるわけではありません。影響をするのは周囲の環境です。特に親しい人たちからの影響を大きく受けます。つまり、たくさんのことは偶然によるものです。人生は短いから、遺伝子より先に、偶然に左右されるのです」。

女の子は、「はい」と言った。教授は「一生のうち、一人の人だけを好きでいたいですか？」と逆に質問した。女の子は「当然です！」ときっぱり答えた。教授は喜んで、「これこそ青春ですね、いいですね」と返した。

ここで、司会者が、なぜこのような疑問を持ったのか尋ねた。女の子はきっぱりと、「テレビで俳優が謝っている場面を見たからです」と答えた。

司会者も教授も笑いをこらえていた。女の子の答を聞いて、私はコロナ禍の前、あるニュースが世間を騒がしていたことを思い出した。それは、ある有名な男優が、スキャンダルのために謝罪会見を開いたニュースである。

教授は咳払いをし、言った。「あなたの年齢の頃は、一人の人を愛し、その人との子どもを持ちたいと思うものです。同時に、あなたの心には、冷静に観察する自分がいるはずです。つまり、あなたの中には、情熱的な自分と冷静な自分がいるのですよ。わかりますか？」

「わかりました。先生ありがとうございました」。女の子がこう言うと、司会者も脳科学者の教授も異口同音に挨拶を返した。

私の知るところでは、この番組には、毎回千本を超す電話がかかってくる。まず職員が内容と子どもの名前を書き留め、そのメモを教授に渡す。教授は、他の教授が質問に答えている間に回答する質問を選び、その質問をした子どもに電話をかける。番組の制作者は、質問の選定には関わらない。面白いのは、今のように社会が暗いときに、このような問題を選んで回答することである。これは、おとなが普段子どもに聞かせているようなおとぎ話に出てくる愛情の話とは異なっていて、時には、リスナーが気まずくなることもあるだろう。しかし、だからこそ、対話が非常に面白くなるのである。

男の子よ、泣いてもいいのだよ

「子ども科学電話相談」でも、もちろん「コロナ禍」に関する質問に答えている。五月のゴールデンウィークの頃、大阪の小学校に上がったばかりの子から電話があった。ずっと家にいて、学校には一日しか行っていないとのことである。「僕は、新型肺炎が怖くて、夜もよく眠れません。先生、この感覚はどうしたら消せますか?」

回答者は、発達心理学者で、今年七十歳になる優しい声をした女性である。まず、男の子に共感し、次のように答えた。「新型肺炎は、怖いですよね。私も怖いです。でも、この怖いという気持ちは、慌てて消す必要はないのですよ。怖いと思うから、危険を避けられるのですから」。

学者は、毎日手洗いと消毒をきちんとしているか尋ねた。男の子はかわいらしい声で、「全部やっているし、人の多いところにも行きません」と答えた。学者は、それを褒め、怖いという気持ちがあるから、感染しないように努力するのだと加え、さらにコロナの情報はどこから得たものか尋ねた。男の子は「ニュースです」と答えた。

学者は言う。「いいですね。それは、あなたの感受性が強いということですよ。これは大切な力です。他の人の気持ちがわかるということなのです。あなたはニュースから、病気の人や亡くなった人のことを知って、その辛さや苦しみを感じているのです。ニュースからこういうことを感じられるのは、あなたの感受性が非常に強いということで、これは、自慢できることなのですよ。でも、夜寝られないのは辛いですね。私は、あなたが、もっと今起きていることを知るといいと思います」。

そのあと、続けて、多くの国で人の移動や出入国を制限していること、世界中の研究者や医師が情報交換をしながらワクチンの開発に努めていることを紹介した。続けて、「ウイルスが怖いのは確かだけれど、医者も看護師もみな頑張っています。あなたも自分がやらなければいけないことを頑張ってください。あなたは独りぼっちではないのだから、家の人に気持ちを話してみてください。これが不安を消すよい方法なんですよ」と言った。

「でも、話したことはあるんです」と男の子が言うと、学者は「お父さんとお母さんはどう言ってるの?」と聞いた。

「二人とも、大丈夫だと言っています」。

「そう言ってくれているならよかったです。でも、あなたが本当に我慢できなかったら、泣いたらいいんですよ」。

「ぼく、もう泣いています」。

対話はここで終わり、学者が、いっしょに頑張りましょう、と言うと、男の子は「はい」と言ってお礼を述べ、電話を切った。かわいらしい話ではあるが、温もりがあって、とても印象に残っている。と同時に、日本の教育の変化も感じ取ることができた。私が子どもの頃は、男の子に対しての固定観念があって、それは、(女っぽいと言われないよう)強くあれ、泣くな、というものであった。しかし、このような後天的に与えられた観念は、不必要なプレッシャーの元だ。

大人も聞きたい問題

また、同じような質問があった。質問者は、愛知県の六歳の男の子で、自己紹介の中で、小学校に上がったばかりだと強調していた。声は弱いながら、そこにプライドが感じられたので、司会者や学者たちは、口々におめでとうと述べたのである。しかし、続く質問は、またしても悲しくなるものだった。

「今、学校がずっと休みで寂しいんです。友達も寂しいと思っているか知りたいんです」。

今回も回答者は、七十歳の心理学者だった。やはり先に共感した後、「長い間楽しみにしていた学校がずっと休みで、本当に悲しいですよね。私も残念です」と言った。男の子の「はい」と言う声から、その子がうなずく様子が目に浮かぶようだった。

心理学者は、男の子の気持ちが非常によくわかると言った後、それはとても大切な気持ちだと強調した。「私たちは助け合わないと生きていけないからですよ。時にはけんかをするかもしれないけれど、他の人と一緒に生きていくことは、人間の社会で非常に大切なことなのです。今、あなたは友達に会えなくて辛いかもしれないけれど、だからこそ友達のありがたさがわかるのですよ」。

男の子は、「はい」と言った。この番組を何回も聴いていると、子どもたちがあまり言葉を発しないことに気付く。質問の後、学者がどれほど熱心に解説をしても、緊張しているのか、聴き取れないのか、多くの子はずっと黙ったままなのである。司会者がたまりかねて、「ここまでわかりますか?」と口を挟むことがあるほどなのに、この男の子は適切に声を出すことで、理解していることを示したのだ。この子は社交性が高いのだろう。友達もたくさんいるだろう。学者もそう思ったようで、次のように答えた。

「あなたは、前の友達を思い、小学校でどんな友達ができるか考えている、ということは、あなたには仲のいい友達がたくさんいたということですね。だから、友達もあなたのことをきっと思っていますよ。早く一緒に遊んだり、勉強したり、スポーツをしたりすることができたらいいですね。辛いけれど、早く会えるよう、今は家で我慢しましょう」。

司会者が男の子に、どんなときに友達に会いたいと思うのか、もし会えたら何をしたいか尋ねたところ、「家にいると友達に会いたくなります。思いっきり遊んだり、鬼ごっこをしたりしたいです」と返ってきた。

学者は言った。「楽しそうですね。けれど、人は家にいる時間が長いほど、他の人に会いたくなるものですよ。もう少し大人になったら、電話やＳＮＳで交流できるけれど、今は難しいですね。前に楽しかったことや、幼稚園のお友達と遊んだことなどを思い出してみたらどうでしょう」。

これに対して、六歳の少年は、現在していることを説明した。「はい。僕は医者ではないし、薬も作れないから、手を洗いながら、早く友達に会えるよう祈っています」。

学者は言った。「いいですね。それは絶対にかないますよ。早く友達と会えるといいね」。

「はい」。

「友達も、あなたと同じですよ。早く友達に会えるよう、きちんと手を洗い、消毒して、家にいてください。今は少し辛いけれど、それは未来のためですよ。そんなにがんばっているのだから、本当に友達に会えたとき、喜びは倍にもなっていますよ」。

「わかりました。がんばります」。

「でも、辛いときや悲しいときは泣いたらいいんですよ。泣いたら少し楽になる、これは私たち心理学者が研究したことです。あなたはずっと我慢してきたのだから、友達が恋しいときは泣いたらいいのです。友達の名前を呼んで、友達のことを思ったらいいのです」。

またかわいらしい話だった。この後、自分の心がかなり軽くなっていること、そしてこの感情が、オンラインでの番組や映画を見たときとは異なるものだということに気付いた。この生放送では、寄せられた疑問や悩みを皆で分かち合うことで、最高の答を聞くことができる。実のところ、子どもたちからの愛情や不安、孤独などの問題は、私たち大人も抱えているものだ。問題の切り口が異なるだけで、本質は同じなのである。番組の学者は、子どもの問題に答えているようで、同時に多くの大人の疑問にも答えている。これがこの番組の人気の元かもしれない。

心理学以外に、この番組で取り上げられる問題は、いろいろな領域に及んでいる。「カッコウはなぜ自分で巣を作らないのか?」「始祖鳥は鳥類か恐竜か?」「人は大きいのに、なぜ虫を怖がるのか」「地球の母はどこにいるのか?」簡単そうな質問だが、かなり専門的な内容である。それぞれの専門家が頭を絞ってわかりやすい言葉で解説するのを聴くのも、この番組の楽しみの一つである。

小学校二年生の女の子が、こんな質問をしたことがある。「心臓と心はどう違いますか?」回答したあとの雑談で、彼女は、休校中は家でずっと弟と遊んでいる、と言った。司会者が何をして遊んでいるのと聞くと、「弟はもうすぐ幼稚園なので、幼稚園でしなければいけないことを教えています」と返ってきた。それを聞いて、私は自分を恥ずかしく思った。その理由は、まず自分が妹にそんなふうに優しくしたことがないこと、二つ目は、同じように家にいても自分は、この女の子にとてもかなわないことである。番組が終わると、私はさっそく読書を始めた。

歴史に残るだろうコロナ禍だが、その渦中にあることで、生活の中のささやかな日常を慈しむことを学べたのである。私の心は、少し和んだ。

※日本放送協会は、日本政府の補助を受けているものの、経費の大部分は視聴者から徴収する受信料による。例えば、二〇一五年では、六千八百三十一億円（四百五十二億元相当）の収入のうち、交付金という名目の政府からの補助はわずか三十六億円（〇・五パーセント）に過ぎない。毎月の受信料は、地上契約が千二百六十円、衛星契約は二千二百三十円である。二〇一七年には三千七百六十五万家庭がＮＨＫと契約を結んでいる。ラジオを聞くだけなら、受信料を支払う必要は無い。

第二章

それでも私はこのような生活を選ぶ

都会はお金持ちだらけで、田舎はどこもかしこも貧乏人だらけだ

姜建強

結局のところ、日本人はお金持ちなのか？　そうではないのか？　これは興味深い話題だ。

日本は「一億総下流」か

国税庁が発表した二〇一七年度の地価によると、東京・銀座の鳩居堂前の一平方メートルあたりの価格は四千八百三十二万円まで高騰している。一平方メートル二百五十万元なら、十平方メートルは二千五百万元、百平方メートルは二億五千万元になる。上海にも、北京にも、こんなに地価の高い場所はない。日本のバブル期の一九九二年、この銀座の土地は三千六百五十万円だったが、現在は過去最高となっている。ここの地価は日本経済の指標の一つなので、そういう意味では日本人はお金持ちなのだろう。

しかし、そうかと言って日本人が財布のひもを緩めていないことに困惑している。どうしてそんなことが言えるかといえば、日本人の日常の消費を見ればわかるのだ。日本人は省エネ家電を買い、低燃費車を買い、ＬＥＤ照明器具を買い、自家用車の代わりに自転車を買っている。日本人はユニクロで着る物を済ませ、千九百九十円のジーンズが人気だ。家具はニトリで済ませ、三人掛けのソファがたったの三万円強である。この値段は大塚家具では考えられないし、新生活をうたう無印良品の店でも高望みだろう。多くの日本人は、牛丼や日高屋で食事を済ませ、百円ショップやコンビニで日常生活を済ませる。夕方のスーパーやパン屋では、わざわざ時間を潰して、半額の時間になるのを待つ。港区や千代田区などの高級エリアにある三ツ星店の予約者の多くは外国人客だ。銀座の地価は史上最高値を更新したが、首都圏付近の新規物件は、あまり売れていない。お金持ちの街と言われている世田谷の新築マンションでも、営業マンが毎日残業をして客引きに苦労している。

消費市場が好転しないところからみると、日本人にはお金がないようだ。しかし、日本最大の富裕層向け専門メディア「YUCASEE MEDIA（ゆかしメディア）」によると、日本の百万ドル以上の保有者数は、二〇一六年は二百八十二万六千人で、二〇一五年より七十三万八千人増えている。この報告によると、二〇一六年の世界の百万ドル以上の保有者数は三千二百九十三万千人だ。アメリカが千三百五十五万四千人と最も多く、世界の富裕層の四十一パーセントを占め、日本は二位で、世界の富裕層の九パーセントを占めている。

一方、野村総合研究所の二〇一五年の調査によると、日本の富裕層と超富裕層は合わせて百二十一万七千世帯で、このうち富裕層は百十四万四千世帯、超富裕層は七万三千世帯だった。二〇一三年と比較すると、富裕層は二十パーセント増、超富裕層は三十五・二パーセント増となっている。富裕層と超富裕層の金融資産総額（預金、株式、債券、投資信託、生命保険、年金などを含む）は二百七十二兆円で、二〇〇七年の二百五十四兆円を上回っている。富裕層の資産総額は十七・三パーセント増加し、超富裕層の資産総額は二・七パーセント増加した。

日本では、金融資産の保有額が一億円から五億円が富裕層という考え方がある。超富裕層は五億円以上、準富裕層は五千万円から一億円である。二〇一六年末時点で、日本の準富裕層は三百十五万二千世帯で、富裕層と超富裕層の百二十一万七千世帯を合わせると四百三十六万九千世帯になる。厚生労働省の二〇一六年の調査によれば、日本で生活保護を受けている世帯は百六十二万八千世帯にすぎない。ある日本の学者は、これでどうして「一億総下流」、「一億総老後崩壊」と言えるのかだろうかと問うていた。

日本の現象「庶民のお金持ち」

日本では長年ゼロ金利政策が実施されており、百万円を銀行に預けても、一年後の金利は七円（四角四分）程度だが、日本人は貯金が好きだ。日本銀行の統計によると、二〇一七年三月末時点の日本人の金融資産総額は千八百九兆円で、そのうち現金預金が九百三十七兆円で、五十二パーセントを占めている。一世帯あたりの金融資産は、一九九〇年には千三百五十万円だったが、二〇一五年には千八百十万円と、三十四パーセントも増加している。

貯金額が日本で一位なのは奈良県の千七百八十万七千円で、最下位は沖縄県の五百二十九万四千円だ。日本人はなぜ貯金が好きなのかというと、安心したいからだ。儲からなくても、リスクを冒して元本を減らすようなことはしない。『日本経済新聞』の報道によると、二〇一七年の時点で日本では約六千種類の投資商品が販売されており、これは十年前の二倍にもなっているというが、多くの日本人は動かない。

明治安田生命が実施した「夫婦の日」の調査によると、日本人のお小遣いの平均額は二〇一六年には二万九千五百三円で、夫が三万四千九百五十円、妻が二万四千五十六円だった。この程度のお小遣いで何ができるのだろうか。ドラッグストアでSK—Ⅱの化粧水一本が二万二千円、東京で一番安いフランス料理のコースは一万円からだ。米国のオバマ元大統領が訪れた銀座の「すきやばし次郎」の寿司は、最低三万円だった。こうしてみると、これだけでは全く足りない。しかし日本のあちこちに、百円ショップがあり、二十四時間コンビニがあり、「金の蔵」や「鳥貴族」のような安い居酒屋があり、二百四十円のドトールコーヒーがあり、古本のブックオフがある。この値段なら、お小遣いでもなんとかなる。

日本では富裕層を「庶民のお金持ち」と呼ぶ。これは、日本人がお金持ちになることへの自己認識が希薄で、気づいたら資産が一億円になっていたという人たちだからだ。経済評論家の加谷珪一氏は、これを「プチ富裕層」と呼んでいる。彼らはどのような存在なのだろうか?

本人は公務員かもしれないし、上場企業の社員かもしれない。配偶者も公務員か上場企業の社員で、親が残した不動産を所有している。定年まで働き、退職時には数千万円の退職金がもらえる。二人の貯金に二人の退職金、相続した不動産を売却すれば、一億円の金融資産になる。統計的には富裕層に入っているが、本質的にはサラリーマンだ。サラリーマンの特徴の一つは、毎月決まった給料で生活する習慣が身につき、成金のように贅沢品やブランド品を求めないことだ。これも日本特有のお金持ち現象と言える。

日本の超富裕層は、東京が七千七百八十三人で最も多い。二位は神奈川県で二千二百二十七人、三位は愛知県で千八百五十二人だった。東京の大富豪七千七百八十三人のうち、世田谷区が三千七百八十三人でトップ、二位は大田区の千九百四人、三位は杉並区の千七百七十六人である。意外なことに東京二十三区の外れにある足立区がトップ十に入り、七百三十九人のお金持ちが暮らしている。お金持ちエリアの千代田区と中央区は十位以内に入らなかった。超富裕層の多くは七十歳を超えた高齢者であり、若い頃に自分の育った土地で奮闘し、老後にお金持ちになった。だから富とは何か、お金持ちとは何かをよく知っている。

現金を直接渡すのは品がないのか

面白い現象として考えさせられることがある。人がこの世に生まれたら、思いもよらず自分の命がお金と関わっているということである。お金は身体の外にあるものだが、お金がなければ命が亡くなってしまうということは恐ろしいことだ。命が誰によって作られたのかは、現時点ではわからないが、お金が人によって作られたことは間違いない。

司馬遷の『史記・貨殖列伝』は、今で言えばビル・ゲイツ級の富豪列伝である。二千年余り前に司馬遷は、「天下熙熙、皆為利来。天下攘攘、皆為利往（世の中が栄えるのは、みな利益のためである）」と書いた。この一文は、一方では司馬遷が富豪と人類の文明との関係を初めて述べた人であり、もう一方では中国人の金銭観を記した初めての人であることを示している。「たとえ大国の王であっても、貧乏になることを恐れるので、ましてや一般人ではなおさらだ」。しかし、日本の歴史的な読み物には、『史記』のような大商人の話は出てこない。

『古事記』にも『日本書紀』にも、商人のことを書いた部分はない。実は戦国時代まで、日本に本当の意味での大商人は生まれていなかった。豊臣秀吉時代の堺市に、ようやく大商人が生まれる外部環境ができた。たしかに千利休の資産は多かったが、豪商であったというよりは茶人であったという言い方がしっくりする。千利休が後世に残した遺産も、精神的な茶道である。日本の本格的な商業隆盛期は、江戸時代になってからである。大名以上の大商人といえば、最初は紀伊國屋文左衛門などがいる。

日本の歴史上、無駄遣いをした有名人に、鈴木久五郎（通称「鈴久」）がいる。明治時代の著名な株式投資家であり、一九〇六（明治三十九）年の半年間で一千万円という巨額の収入を得た。当時の一円は、現在の二万円相当である。当時の一千万円は現在の二千億円になるが、当時の国家予算はわずか二億五千万円だった。日本語で「成金」という言葉が生まれたのは、この時である。

鈴久はその金をどのように使ったのだろうか？

新橋、柳橋、赤坂、浜町などの高級料亭を夜通し貸し切り、芸者と遊んだという。行くたびに封筒に入っていた百枚の十円札（現在の二十万円相当）を室内に投げ、芸者たちに取り合いをさせた。料亭の池の水を抜いてビールに変え、大量の五円硬貨（現在の十万円相当）を入れて、芸者を裸にして潜らせた。アメリカに車を発注したが、当時の価格は五万円で、今の十億円に相当する。しかし翌年には株が暴落し、鈴久が半年で稼いだ大金は二ヶ月でゼロになり、日本史上における大富豪はたちまち貧乏人になってしまった。

現金を直接渡すのは品がないというのは、日本人の一般的な感覚だ。そのため、日本人は各種料金の支払いに現金を使うことは少なく、口座振替を使うことが多い。葬式のお香典も、正月のお年玉も、会議の車代も、特製の封筒に入れて現金を隠さなければならなかった。二万円以上用の封筒もあれば、一万円未満用の封筒もあり、金額により異なる。銀座のママが『夜の銀座の資本論』という本で、お金を稼ぐことと優雅さを両立させる方法を書いた。どこにでもあるような感じもしたが、少なくとも表面上は乱暴さや血生臭さは感じなかった。

一日に数千億円の取引をするファンド・トレーダーであり、小説家でもある藤原敬之氏は、二〇一三年に『カネ遣いという教養』（新潮社）を出版した。金遣いの世界で藤原氏が体得したことは、「色即是空、空即是色」、すなわち「永遠は一瞬であり、一瞬は永遠である」ということだ。北大路魯山人が使っていた箸置きを二十万円で買い、「天皇の眼鏡」を八十万円で買い、入社三年目には三十三万円の椅子を買った。五千枚ものＣＤも買った。本を「生きもの」と考え、和辻哲郎、九鬼周造、丸山真男、埴谷雄高、小林秀雄、白洲正子といった著名な学者や随筆家の全集も買った。しかし、よく吉野家で夕食を済ませた。

ユニクロの服を買うことを照れなくていい

ユニクロの柳井正社長の二〇一六年の総資産は百四十六億ドルで、この年の日本長者番付一位だ。日本円に換算すると一兆六千五百万円になる。一年以内で使い切ろうとすると、毎日五十億円使う必要がある。しかし、世界ランキングでは、まだ五十七位だ。二位はソフトバンクの孫正義社長で、やはり二年連続二位で、総資産は百十七億ドルだった。日本円に換算すると一兆三千二百万円で、世界八十二位だ。二人とも、市場を破壊して安売りで財を成した大富豪だ。一人は日本のアパレル市場を、もう一人は日本の通信市場を一変させた。しかし、個人の生活ぶりは、天変地異に左右されることなく、相変わらず目立たず、ひけらかさない。

作家の林望氏が二〇〇九年に出版した『節約の王道』（日本経済新聞社）は、堂々と恥ずかしからずにユニクロの服を買うことを「王道哲学」としている。そして日常生活の中でどのように節約するかを記した。

冷蔵庫の中の食材がなくなってから買いに行く。
友人と金銭の貸し借りをしない。
病気にならないのが一番の節約だ。
服はユニクロでなければならない。
車は一ヶ月の月給以内の値段でなければならない。
小学校は公立でいい。私立は必要ない。

銀行からお金を引き出す際には、小銭も一緒に下ろした方がいい。一万四千円下ろして、四千円の小銭があれば、使うのに耐えられる気がする。一万円札をくずすと、あっという間になくなってしまう。

節約を標榜しても本は借りずに買えと言うのは、借りた本は自分の「血肉」にはならず、お金を払って手に入れた本こそが自分の「血肉」になるからだ。知識への投資をケチってはいけない、節約しすぎてはいけないという姿勢だ。また貯蓄のことを重視しておらず、貯蓄が増えることを喜ぶ人は「神経症的貯蓄」であり、生きる喜びとは程遠いと考えている。

二〇一二年五月三十日付の『日本経済新聞』に掲載された「品位ある節約」という記事によると、この作家の愛車は中古のベンツC200だという。中古であるにもかかわらず、買う時に走行距離は一万キロメートル以下でと言っていた。これぞ王道中の王道と言える。もちろん一ヶ月の月給で手に入るわけでもないため、他人に節約しろといって自分は節約していないとののしる読者もいた。

日本人はお金を持っているにもかかわらず、なぜ中国人のお金持ちのようにお金持ちであるように見えないのか。お金持ちの日本人は、第四の消費時代に入った。これは日本の著名な社会学者である三浦展氏の『第四の消費』(朝日新聞出版)の中での主な見解である。東日本大震災で覆された物質観の一つは、「物質は破壊されるのだから、元に戻したところで何の意味があるのか」というものだった。次の大地震も大津波も来る。自然の強い力のもとでは、もはや物質では幸福を感じられない。そして災難の中で成長した日本人は、第四の消費時代に入ったと三浦氏は言う。

消費が人を幸せにする時代は終わった

第四の消費時代の最大の特徴は何だろうか。一言で言えば、物から人へ、金から人へ、ということだ。消費が人を幸せにする時代は終わった。本当に幸せをもたらすのは、物質ではなく、共有とつながりだ。そのため三浦氏は、震災以降、日本の若者の自家用車への「無関心」が加速していることを例に挙げた。日本の運転免許証保有者数は、二〇一五年から減少に転じ、これと並行して国内の自動車販売台数は二百四十万台減少した。中国の電子商取引の祭典「双十一」の消費の盛況は、まさに三浦展氏が語った第二の消費時代の特徴である。経済発展の追い風に乗った、家庭を中心とした大量消費だ。第二の消費時代の中国人は、当然のことながら、日本人の消費は少ないと思い、「日本人は中国人よりお金を持っていない」と感じるようになった。

もちろん、第四の消費時代は消費をしない時代だ、という意味ではない。社会全体の消費志向の変化と「金持ち観」の変化だ。日本人にも輝かしい時代があった。一九八八年には一人当たりのGDP（国民総生産）が三百二十万六千円となり、遂に数字の上でアメリカに追いついた。国土面積はアメリカの二十五分の一だが、当時の地価総額はアメリカの四倍以上だった（一九八七年末で千六百三十七兆円）。当時の日本人の個人貯蓄の合計は五百八十兆円で、一年間のGDPを超えていた。法人企業の交際費は、一九八七年には四兆二千億円（一日百五十一億円）だった。一世帯の婚姻費用は八百万円以上で、当時の政治家は一晩のパーティーで何十億円ものお金を手にしていた。

結局のところ、日本は数十年で、西欧の工業化を成し遂げたのである。疲れて喘いでいるかのようであるし、多すぎる贅肉を落としているところのようでもある。初期文明の大切さを、代償を払って体験したのかもしれない。近代文明を支える二つの主義は、一つはプラトンのイデア主義であり、もう一つはキリスト教の万能神主義である。この二つが合体したものが、近代合理主義である。近代合理主義の最大の落とし穴は、人間の傲慢という生まれつきの「悪」を忘れてしまったことである。この世界は、理性が合理的であるかどうか、感性が堕落しているかどうかという二重構造になっているからだ。

そのため三浦氏は、日本社会の変化は偶然ではなく、文明そのものの歩みから来ているのではないかということを見いだした。日本の思想家である山崎正和氏は、『世界文明史の試み』(中央公論社、二〇一一年)の中で、人類の進歩という概念を未来に結びつけることをやめた。進歩は文明のほころびを繕うのに不可欠であるが、人間は進歩の有無を生きている前提とする訳ではない。逆に、私たちの生活をより充実させてくれる文明こそが、私たちには望ましいものである。

中国で二百万元するポルシェが、日本では千二百万円(七十～八十万元)で手に入る。しかし、それでも日本の若者は買わない。今、日本人の間で、シェアリングエコノミーが流行っている。ある日本人が、ブランドバッグの借り放題サービスを始めた。毎月六千八百円(約四百元)を払えば、ルイヴィトン、シャネル、グッチなど五十種類以上のブランドバッグを借りることができる。日本人はかばんを買うお金がないのか。そうではない。これは明らかに、物を所有しない、物欲に動じないという「寡欲」の精神に基づいているのだ。この「寡欲」の精神から、現代の日本における富裕観の変容が見えてくる。豊かさとは何かという問題に、改めて直面したとき、私たちのまわりにいる日本人こそが立派なお金持ちであるということに、驚くとともに気づくかもしれない。

「軽」に生きるようになる日本人

姜建強

現代フランスの著名な哲学者ジル・リポヴェツキーが、未来の人間社会について考えた答えの一つは、「モノがミニチュア化されればされるほど、バーチャルな要素のリアリティが豊かになる」というものだった。つまり、モノの重さが軽ければ軽いほど、中身が豊かになるということが、彼の『軽文明』という本に書かれている。

「軽文明」とは何であるかは、文字どおりでわかりやすい。エッフェル塔の建設には七千トンの鉄が必要だったが、現代であれば二千トンの鋼材で建設可能で、五千トンも軽量化できる。エアバス社の新型航空機A350は複合材を五十パーセント以上採用して、十五トンの軽量化を実現しているが、これはもちろん軽だ。IBM社は一九八一年に最初のパソコンを開発したが、重さは二十キロを超えていた。現在、アップルのノートパソコンの重さは一キロ以下で、厚さは二センチ以下なので、これも当然のことながら軽だ。小さなビニール袋一枚で、袋の二千倍の重さにも耐えられるのだから、これは軽の中の軽と言えるだろう。

ここで問題になるのは、なぜ重量を減らしても、しっかり役目を果たせるのかということだ。大切なのは、中身の「質」が軽いのではなく、むしろ本来の重量よりも重くなるということだ。リポヴェツキーが『軽文明』で言っているように、軽とは本質に向かうことであり、淘汰される運命から遠ざかることだ。軽は視覚と装飾の美学的価値観というより、むしろ倫理的な要求なのである。

これは、どのような「総体的な倫理の要求」なのか。日本のことを思い起こさせる。チャンスという変革時において、日本文明の天性は何かと問えば、「軽」の一字だと思う。日本の貧しさがその力だと、小泉八雲は言った。この「貧しさ」は、今の言葉でいえば「軽」である。また韓国の学者の李御寧氏は、何年か前に『「縮み」志向の日本人』という本を書いたが、この「縮」という字も今日の「軽」である。「軽」を文明形態のタイトルとし、その文明形態が再生型循環社会への移行の手助けとなることを、私たちは待ち望んでいる。

軽は日本人の精神の原点であることは明らかで、日本人のあらゆる志の中で最も重要なものである。日本人は直観的なモノを縮小して最小にするのが得意で、簡素な装いで「無相」の状態を表すことが、日本の禅の本質である。小さな石橋、せまい階段、境内の丸太小屋、砂利敷き、小さな陶器の人形、能舞台、枯山水、あぐら、二畳半の茶室。形としては小さいが、思考空間は無限である。「相、空といえども、空を見るは色の如し」。

実は千年以上も前に、美しい宮中の女官であった清少納言は、「軽」を楽しんでいた。「悔やむこと」は、人に贈る詩を書き終わってから、突然一、二文字を修正しなければならないことに気がつくこと。

そして、縫い物の最後になって、糸の尾を結ぶのを忘れてしまっていたことである。「恥ずかしいこと」は、母親が自分の子供がかわいいと思ってかわいがり、それを人に話すこと。そして、学問のない人が、学問のある人の前で、古今の人名をでたらめに言うことである。「残念なこと」は、宮中で仏名会があり、雪ではなく雨が降ったことだ。「嬉しいこと」は、破り捨てられていた手紙を拾って読んでみると、いい文章が書き綴られていたことである。

私たちがよく知っている『源氏物語』は、五百人以上の人物が描かれ、八百首以上の和歌が詠まれ、多くの人が亡くなったことが書かれていて、とても重そうだが、美しい男女の私情が、あちこちに散りばめられている。全てが美しく、荒涼としていて、元に戻ることはない。最後の巻は、「雲隠」というタイトルだけが残されている。全ての美しいモノの破滅は、みな最高に美しい。ここに、たそがれの「軽」の色が見える。重い下駄が石畳を叩く「軽」の音が聞こえてくるかのようだ。

人の心に染み入る「道」は、「重」でなければならないのか。千利休は、これを否定した。彼の教えでは、いわゆる茶道は、お湯を沸かして、お茶を点てて、お茶を飲むことだ。これよりも軽い「茶道」があるだろうか。千利休がここで本質としているのは、「軽」こそが「道」の本筋であり、骨だということだ。そして「一期一会」とは、無常の「軽」が感情に影響を及ぼしたものなのである。それと同じように、日本の華道にも、この心の軽が受け継がれている。後世に大きな影響を与えた『専応口伝』を一五四二年に書いたのは、日本の生け花の父、池坊専応である。花を生ける目的は、形を見ることではなく、花が咲く枝や樹木の本来の姿を際立たせることであり、それにより宇宙の真理に至る道を指し示すことである、というのが彼の教えである。重そうな「宇宙の真理の道」の理は、「多くの枝があっても、一、二本の枝を選ぶ。多くの花びらがあっても、一、二枚の花びらを選ぶ」。これが、洗練された艶やかな軽である。

日本の俳句は、世界で最も軽くて短い詩だと認められており、「五七五」の十七音を組み合わせたものである。フランスの作家ロラン・バルトは「最も洗練された小説」と言った。また詩人アンドレ・ベルシャールは「伝わるかすかな光と身震いする詩」と言った。日本の思想家鈴木大拙の説によれば、俳句の目指すものは、他者の本来の直感を喚起する観念にすぎない。したがって俳人は本質的に禁欲主義者、菜食主義者、さらに沈黙主義者でなければならない。彼らは、霊的教化という点においてのみ、憧憬主義者であり、体験主義者であり、さらに暗示主義者であった。芭蕉の「閑(しずか)さや　岩にしみ入る　蝉の声」や、一茶の「蝉の声　空にひっつく　最上川」は、蝉の声を「軽」で表現した典型である。

日本人の文化生活の中の一つの概念である「わび・さび」の真意は、「満足」の軽である。「くつろいで待つ」草庵に満足し、あるいは田園から露のついた果実を摘むことに満足し、あるいは熟した梅が雨の夜に庭に落ちる静けさに満足する。これはもちろんソロー的であり、さらに良寛的である。

日本人の生活の軽を見てみよう。紙で家を作ることを聞いたことがあるだろうか。地震の多い国では、多くの人の夢に違いない。一九五七年生まれの建築家、坂茂氏は、何年も前に世界に先駆けて「紙と木の家」を開発し、建築を高級住宅の代名詞ではなく、人間の精神的な意味での庇護に戻した。建築は軽を志向し、その素晴らしさは、建材が鉄骨やセメントだけではなくなっているところにある。硬い紙管、竹、布、段ボールなどを建材に使うことは、物質化されていない「軽」が、壊すことのできない「重」に取って代わる好例である。日本では、自動車は身分や富を誇示するためではなく、移動するためのものだ。日本の軽自動車は、排気量六百六十cc、全長三・四メートル以下、幅一・四八メートル以下、高さ二メートル以下、定員四人以下、積載量三百五十キロ以下でなければならない。いずれかの条件を超えると、軽自動車ではなく普通自動車として登録される。現在、日本の車の三台に一台は「四角い」軽自動車で、経済性や合理性が追求されている。小さな空間の中に、大きな空間がある。

一般的に自動車重量を十パーセント減らすことで、燃費は八パーセント向上すると言われている。そこで、日本の京都大学の研究者たちは、十年かけて木材パルプから強力な材料を作り、自動車の鋼製部品に取って代えることにした。この材料は鋼鉄のように丈夫だが、重量を八十パーセントも減らすことができる。また、日本人が開発した「携帯トイレ」も、「どこでもトイレ」を可能にした。これほど軽のトイレ文化は、他にあるだろうか。

日本では今、一人暮らしの「軽」が流行っている。一人旅、一人料理、一人セックス、一人読書、一人行楽、一人消費、一人臨終、死後はゼロ葬（葬儀無し、遺灰無し、墓地無し）だ。カプセルホテルは満室で、二メートル×一メートル×一・二五メートルの空間で、一夜を過ごす。脂肪嫌いは日本から始まり、優雅さには丸みが欠かせないというバルザックの言葉を書き換えたのだ。ZARAやユニクロのファストファッションは、若い男女に人気がある。二十四時間明るいコンビニや百円ショップが、百貨店を年々赤字に追い込んでいる。服を捨てれば、胃腸もよくなる。本を捨てれば、頭がクリアになる。化粧品を減らせば、肌がなめらかになる。本当の人生は、捨てることから始まる。『人生がときめく片づけの魔法』という本で紹介しているのも「軽」である。

もちろんもっと軽なのは、日本の若者は国のために死にたくない、国のために戦場に行きたくないことだ。たとえ正義の理由があっても、多くの死者を出して戦争をするだけの価値があるとは思えないからである。これが、日本人の半数以上が改憲に反対する一因となっている。もちろん改憲が戦争につながるとは限らないが、改憲は戦争の先駆けであることは間違いない。日本の若者のこうした生き方は、実際には正義と関係なく、仁義とも関係なく、更に善悪とも関係なく、現代における一種の国家観の軽だ。正義は重すぎて、仁義も重すぎて、善悪も重すぎて、理由もなく命をかけるのは非常に重い。今の若者は、この重さに耐えられるだろうか。そして、この重さは、公民としての義務の軽となる。

公民の義務の軽とは何か。投票や公共的なことに熱心に取り組むこと、駅前で政治家が旗を振りながら叫ぶのを聞くこと、好きでもない政治家に無駄な一票を投じることはもはやしないことだ。投票率が年々低くなった結果、政治家が再選される可能性が高まり、政党政治を行う人が減った。「軽」は、国民の義務感や、より高い社会的目標を追求する理想を根源から排除する。大物コラムニストの大前研一氏は二〇一六年に、日本は大志のない「低欲望社会」の時代に入ったとし、「頑張った方が勝つ」というのは昔の話だと述べている。筆者の理解では、大前氏の根本的な考え方は以下のようなものだ。実は日本社会全体が「軽の病」にかかっているのだが、これは治療の必要はない。治療の必要がないどころか、より多くの地域の文明とより多くの人に「感染」させ、新たな「国富論」を生み出すことが望ましい。

トレンドから見ると、人間の創造物は軽になり、人間の生活も軽になり、人間の消費も軽になり、さらには人間の思考も軽になった。現代社会では、アリストテレス、ヘーゲル、マルクスのような巨匠が輩出されることはもはや不可能であり、カントのような重い思想家さえも必要ではない。ニーチェの軽、「自由の思想が、軽の生活の神髄」の軽こそ、今日の人々が手かせ、足かせを捨てて生きる極意である。

村上春樹氏の『ノルウェイの森』は生活の軽で、新海誠氏の『君の名は。』は青春の軽だ。篠山紀信氏の写真の樋口可南子は肉体の軽で、草間彌生氏の絵の中の水玉模様は思考の軽だ。寿司の神様である小野二郎氏は舌の上の軽で、一日一花の川瀬敏郎氏の生け花は日常の軽だ。そして「I need you」を歌うＡＫＢ48はバーチャル恋愛の軽だ。三宅一生氏の軽を忘れてはならない。シワのある服の重さはわずか九グラム。ポリエステル生地の崩れないシワで、腰や肩の硬直感を解消するチューブラインに成功した。三宅一生氏が「重」を「軽」の一つにしたのは間違いない。

このように、軽が未来の人類社会が志向するものの一つであるとすれば、間違いなく日本はこの未来の青葉と花である。その文明的性質が、この方面の霊気と情緒を決定するからである。このような霊気と情緒は、以前であれば最も無意味で、最も小さな軽を、この世界を変える最も重要な力にする。自分の国に天然資源がなければ、その国を繁栄に導く資源はどこか別のところにあるに違いないとわかっているからだ。それは、モノを繊細に、丁寧に、緻密に、シンプルにデザインする知恵と、自然環境に対する感受性だ。天然資源は今流動的な世界ではお金で買えるが、文化に根ざした初期文明に対する感覚という資源はお金では買えない。日本のグラフィックデザインの原研哉氏も、そのことを知っている日本人の一人だ。

原氏は何年か前に『白』という本を書いて、人骨は白い、乳は白い、もちろん精液も白いといった。白は、生命の起源と滅びを象徴する色といっても過言ではない。白とは何であるか。「白とは、全ての色も含んだ白のことだ」と答えた。この考え方は「軽とは、重を含めた軽である」と同格である。『源氏物語』を翻訳した豊子愷(ほうしがい)は、何かが日本に入ってくると、ひどく変になり、ひどく誇張され、同時に一種の浅はかさとケチを帯びてくると言った。この「浅はかさとケチ」とは、おそらく今日の「軽さ」であろう。確かに「軽」は浅はかさやケチと表現されることもあるが、問題は浅はかさやケチが決して物事の本質に向かう軽にはならないということである。

変革期に入った人類社会で、軽文明は、まず日本でその一端を現した。その意義は、先を進む日本が、再びグローバル経済と文化の動きの新しいモデルをリードすることにある。百五十キロを超える大相撲は、強烈で滑稽で重そうに見えるが、一瞬にして爆発するぶつかり合いと引っ張り合いは、技の軽の観念の魂である。これは、禅が中国では知恵の修行であり、日本では生活そのものであることでもある。

結婚せず子供も産まない「独身大国」

姜建強

一九八〇年代生まれの女性作家、高瀬隼子氏のデビュー作『犬のかたちをしているもの』（集英社、二〇二〇年）は優れた作品であり、第四十三回すばる文学賞を受賞した。この小説の主人公は三十歳の間橋薫である。彼女はある日突然、半同棲中の恋人・田中郁也が別の女性を妊娠させたことを知る。困惑する薫は、喫茶店で妊娠中の女性から田中郁也と入籍し、子供ができたら離婚して、子供は三人で育てようという提案を受ける。薫は二十一歳の時に卵巣の手術を受け、以前からセックスを好まなかったが、術後はさらに敬遠していたことが語られている。郁也と付き合い始めたとき、薫は二人の間にセックスはなくなるかもしれないと明言していた。郁也の答えも「いいよ、好きだから」だった。そんなきれいごとを言いながら、お金を払って大学時代の同級生の女性と関係を持ち、相手を妊娠させた。薫はこの事実をどう受け入れればいいのか。

性愛の様式の多様化は、確かに現代人の特徴の一つである。しかしこの小説の素晴らしさは、薫の口を借りて、人を愛することとセックスとの関係は、本当に普遍的で自然なものなのかという問いを立てているところにある。薫は犬を飼っていた。彼女の認識では、犬は条件なしに好きになる対象だった。人は犬を愛するが、犬は愛する人にセックスを要求しない。しかし、人を好きになるためには、なぜセックスをしなければならないのか。薫には訳が分からなかった。小説はこのテーマをめぐって、ストーリーが展開される。ここで一つの背景となる知識としてあげられるのは、異性間でセックスをした場合、女性だけが妊娠という結果を受け入れなければならないということだ。これが男女のセックスにおける非対称である。著者はこの非対称性を可視化し、人間というものは、なぜ愛し合うがセックスはなしではいられないのだろうか、という薫のささやきに耳を傾けて欲しいとしている。人と人の愛、人と犬の愛、快楽のセックス、生殖のセックス、結婚後の育児放棄、非婚養育、低欲望など、この小説には考えさせられることが多い。しかし、より重要なことは、小説が日本の若者の間で流行している二つの分離観を提示しているということだ。一つは、妊娠して子どもを産んだ母親が、必然（義務）とされる養育と分離すること。つまり、生殖は生殖、養育は養育であり、伝統的な相互作用はもはや意味をなさない。もう一つは、愛し合うこととセックスを分離すること。つまり、純愛は純愛、セックスはセックスであり、相互に因果関係はないが、プラトンの「プラトニック・ラブ」への回帰でもない。

　小説は現実世界の最も直接的で最も能動的な反映である。愛し合うだけでセックスをしない結果、そして産むだけで育てない結果は、そのまま日本という国の出生率を示している。「国難」とされた二〇一九年の出生数は、初めて九十万人を割り込み、八十六万五千二百三十九人となった。社会保障・人口問題研究所（社人研）は、「八十六万ショック」という衝撃的な波が、予測より四年早く到来したことを明らかにした。また厚生労働省人口動態統計によると、二〇二〇年の出生数は八十四万八百三十五人で、二〇一九年より二万四千四百四人減少した。社人研の予測によると、今後の日本の出生数は二〇四五年に五十九万千人、二〇六五年に四十一万六千人になるという。この場合、四十七都道府県で平均して九千人、ある県では三千人、ある自治体では「出産率ゼロ」になる可能性がある。

出生率の低下は少子高齢化に直結し、少子高齢化でこの国の独身者が多くなる。独身問題研究家の荒川和久氏によると、現在の日本は、独身者が高齢者よりも多く、名実ともに「独身大国」だという。荒川氏の計算によれば、日本の独身者数は二〇四〇年には四千六百万人となり、人口の半分を占める。独身者数の急増は、生涯未婚率の上昇に表れている。一九五〇年に日本の男女の生涯未婚率はわずか一パーセントだったが、二〇一五年には男性二十三パーセント、女性十四パーセントになっている。二〇四〇年には男性三十パーセント、女性二十パーセントに達すると予測されている。生涯未婚率の上昇は、経済的な問題（日本社会の相対的貧困化、日本企業の賃金が三十年アップしないことなどが強調されている）というよりも、ライフスタイルの激変に伴う意識の激変による。つまり、日本という社会はあまりにもよくなりすぎ、便利になりすぎ、人間的になりすぎて、結婚しなくても独身で一生平和で安心して、充実して幸せに暮らせるようになっているのだ。生きることへのストレスや恐怖がないので、人々が独身に傾くのは自然なことだ。

日本の小説家、村上龍氏の短編小説集『どこにでもある場所とどこにもいない私』の『居酒屋』という小説に、「原寸大」という言葉がある。日本の居酒屋は「原寸大」のコンセプトに基づいているので、期待を大きく超えることもなければ、期待が裏切られることもない。居酒屋という場所で「他者」という微妙な違いを感じる人はいない。日本式居酒屋は、人の本来の意欲を機能的にくじき、日常を毎日の単調さに変えて、冷たい無力感でおおい続け、最後には孤独な楽しみと、自分の世界しかない「居酒屋の人」だけが残るのだ。もう一人の小説家、村上春樹氏の短編集『女のいない男』の『木野』という小説では、中年の男が居酒屋のカウンターの奥の席で、三十分ほどでビールを飲み干し、特に好みの銘柄もないウイスキーを飲む。そして本を読む。立ち上がる。それから財布を出して現金で勘定するという毎日だ。村上氏は、彼のことを「暗い男」と表現した。

しかし、「居酒屋の人」でも「暗い男」でも、何気ない日常や寂しさが胸をかすめると、他の人とは共有できない、自分だけの楽しみはないか、と居酒屋の客は考え始めるのだ。最近、詩人であり演出家であり随筆家でもある寺山修司氏の『幸福論』を読んでいる。寺山氏は本の中で、あるサラリーマンのエピソードを紹介している。そのサラリーマンは、家では良き父親だった。五十五歳で定年退職するまで製薬会社に勤め、送別会に出席して帰ってきた。いつものようにスーツを脱いで浴衣に着替え、テレビでヒット曲のランキングを聞きながらリビングで休憩し、妻がお茶をいれてくれる。突然、「違う。これは違う。本当の私は、こんなではない」と泣き出す。虚像と実像が、何十年も取り違えられてきたことは明らかだったが、この男が本当に会社を去り、会社にいてもいなくてもいい社員でなくなった時、「本当の自分」とは何であるか、全てを捨てた裸の自分であり孤独な自分ではないかと悟ったのだった。

こうしてみると、日本では不確実な時代に、より精緻で生命感を持った「独身論」が人気を集めている。もし結婚の質が低く、独身の質が高ければ、私もきっと質の高い方を選択するだろう。もし二人の感情が経営行為であって、どんな経営にも労力と時間が必要なら、そんな労力を払わない方がいいだろう。もし村上式の自分の好きなことをするという孤独を実践するならば、それは一種のファッションで、一種のクールであり、一種のおしゃれだ。そして、私もファッションで、クールに、おしゃれに生きたいと思うだろう。このポストモダン独身論は、前近代的な「今日も酒を飲んで、今日も酔う」という単純な繰り返しではないことは明らかだ。自分のために生き、自分のために楽しんでいるのと同じであり、今流行っている日本式独身論のほうが、はるかに張りがあって優しい。

本谷有希子氏は、小説『異類婚姻譚』で二〇一六年に芥川賞を受賞した。本谷氏は小説の中で、長い間夫婦生活をしていても、一生、見知らぬ人と一緒にいるのかもしれないと語っている。夫婦とはいえ、お互いの心の内は誰が知っているのか。本谷氏はこれを「低温結婚」と呼んだ。私はこのような低温結婚が、一人主義以後における新たな時代の始まりだと思っている。本谷氏がこの小説を書いていた時、長男を産んだばかりで、結婚の喜びに満ちていたはずだ。しかしそれとは逆に、夫婦間の冷たさを小説の中に描いている。不思議なようで不思議でもないが、これが日本の未婚率の高さ、日本式独身論の勢いにつながっている。

このような日本式独身論の典型的な体験者が、元朝日新聞編集委員の稲垣えみ子氏だと筆者は思っている。稲垣氏は近年、日本の社会的なニュースの人となった。この「アフロヘア」の女性がニュースになったのは、五十歳の年に、思い切って会社を辞めたからだ。二十八年間勤めた大企業を離れ、高い給料や社会的地位を捨て、再び「一人」として、「生きる」とは何か、「働く」とは何かを考えたからだ。彼女は『五十歳で会社を辞めました』という本の中で、「五十歳、夫ナシ、子ナシ、無職。若くなく、日々『老い』を感じている。それでも会社を辞めることにした。会社を辞めてから、世の中はいつも辛そうだが、実は限りない優しさを秘めている、ということに気づき少し驚いた」と述べている。

独身者の膨大な数を前にして、日本は成熟した社会の様相を呈している。一人旅、一人料理、一人セックス、一人読書、一人行楽、一人消費、一人臨終、死後はゼロ葬（葬儀無し、遺灰無し、墓地無し）で、一人主義文化が盛んだ。パナソニックは、二〇二一年二月に新しいロボット「NICOBO（ニコボ）」を開発した。高さ二十センチの球体で、鼻が小さく、目が小さく、尾があり、重さは一・三キロで、話しかけたり、話したりすることができる。価格は三万九千八百円と、誰でも買える庶民的な価格だ。これまでの日本のロボット開発は、機能性（人の代わりに仕事ができること）が重視されてきたが、このロボットを開発した豊橋技術科学大学の岡田美智男研究室は、人間味を重視し、孤独な人の癒しに寄り添っていくことを重視している。この「弱いロボット」の対象ユーザーは、「一人社会」で話を聞いてくれる人のいない独身者だ。しかし、結婚せず、子供も産まない独身社会を前にして、日本人の間でもしばしば観念上の衝突が起こる。例えば、結婚して子育てをしている人が、子供を産まない独身者は、将来、子供たちから年金をもらってのうのうと暮らすのか、と言ってもいいのだろうか。「結婚しない人は、生産性がない」と言う国会議員もいる。結婚せず、子供も産まない人は、独身で何が悪いのか、私たちは未来社会の実践者だと言い返す。筆者はこの「実践者」という言葉はいいなと思った。結婚していないおじさんとおばさんの地域社会が、子供の面倒をよく見るというカナダの研究結果があるからだ。例えば、同性愛者は「スーパーおじさん」として活躍し、甥の面倒をよく見たり、近親者に医療や教育などの金銭的援助をしたりする。「一人社会」で独身者が増え続けても、その独身者が「生産的な人間」に一定の援助を与えることができれば、持続可能な社会の発展が可能になる、という考え方である。そうすれば、誰もが満足できる生と死の時代がやってくる。

もちろん、人間は利にさとい動物である。より便利で質の高いものを目にすると、人はたちまち風雅を忘れて、その恩恵だけを思う存分楽しむようになる。しかし、日本人は少し違うようだ。利を求めながらも、貧しさは力なり、豊かさは弱さなりという精神風土が昔からあった。だから簡素な哲学があり、わび・さびの美学があり、草庵文学があり、陰影芸術がある。ついに繁栄の底にたどり着いた日本人は、自分たちにふさわしい文明の利器—低欲望と独身—を発見し、「夜雨の草庵に、足をのばして」（良寛）と満ち足りた気持で生きる。

ポストパンデミック時代の日本は、超独身社会であることがわかる。そのためか、英国に続いて日本にも「孤独・孤立対策担当大臣」というポストが、つい最近設けられた。中野孝次氏の『清貧の思想』に、「人間の物質的欲求、交際欲求を最小限に抑えてこそ、人間の精神活動は自由になる」という言葉が出てくる。もしかしたら、孤独は力にもつながっているのかもしれない。

女性の結婚の選択
——専業主婦から契約結婚へ

万景路

日本の古墳時代は、まだ女性中心の「母系社会」であった。当時、部落で行われていた婚姻の形式を「妻問婚」という。いわゆる「妻問婚」とは、夫と妻が昼間それぞれの部落の中で働き、生活して、それぞれの生活の基盤を持つ。夜になると夫は妻の家に泊まり、子供が生まれれば妻の実家とその部落で育てた。

夫が子供を作っても自分で育てないというのは、男にとって福音のように聞こえるかもしれないが、万事に長所も短所もあり、男たちは自分の部族で他人の妻子を養う責任を負ったという。現代から見ると、「妻問婚」には、より大きな問題がある。夫も妻もいろいろな人と性関係を持つことができたので、どの男が子どもの父親なのかはわかりにくく、「おやじは誰か」という問題がある時代だったのだ。

父系社会の到来

妻問婚の形態は、七世紀後半（飛鳥時代後期）から変化した。日本は唐を参考に律令制度を施行したのだ。この頃から、長男を家長として家を管理する「家父長制」が次第に多くなり、特に武家の台頭と、武家が手柄を立てた者とその子孫の男性を重用するようになるにつれ、幕府の時代から「父系の血統」が大いに重視されるようになった。それが庶民層にも広がり、「父系血統」重視の風潮が列島に広まり、やがて父系社会が形成されるようになった。

明治時代になって家父長制が全国に浸透し、父系血統が強化されたのは、明治政府が民法で「世帯の主権」を明確にしたからである。民法には、家督は正妻が生んだ長男が相続すると明記されているが、長男だけが世帯の主権を相続し、家族構成員に対して婚姻同意権と住居指定権を持ち、他の子は何も持たない、とある。また民法が、姦通罪は姦通した女子と男子にのみ適用され、戸主には適用されないと規定しているのも、戸主の実子を明確にし、戸主権を守る必要があるからだ。このことからも、当時の日本社会では、父系を重視する傾向がピークに達していたことがわかる。いいかえれば、この時点では男の権利は徹底して法律で保護されていたのである。

農家の奥さん時代

大正時代には明治時代の結婚形態がほぼ続いたが、次の第二次世界大戦期には、日本の侵略拡大に伴い、少年、子ども以外の既婚、未婚男性の多くが「軍用品」となった。日本人の結婚の実態は、基本的には老人、弱者、病人が家庭に残り、女性が単独で支える時代に入り、結婚は形としてしか存在していなかった。戦後、一九五〇年代になって国家が再建され、結婚形態が少し変わってきたが、このときの就業者の半数以上は、第一次産業（天然資源を直接利用した農林水産業など）に属する農水漁業者であった。日本人の妻も基本的には「農家の奥さん」が主で、それも主な農業労働力である。妻が主な農業労働力であったために家事や育児に手が回らず、自然と村の年長者や少し年上の子供たちが担うことになり、つまり幼児は農村共同体である村の環境で育つことが多かった。育児問題でいえば、古墳時代に逆戻りしているわけだが、これは古代の「妻問婚」の母系社会に近い。

専業主婦と「昭和妻」の形成

一九六〇年代に、日本の産業の中心は第一次産業から第二次産業（加工可能な鉱物産業、製造業、建設業など）に移行した。第二次産業革命は男性が中心となり、男性を雇用することが当時の主流になった。既婚男性が郊外の住宅から都会の職場に続々と通勤して働くようになり、日本の雇用形態も質的な変化が起き始め、それに伴って、日本人の結婚形態も覆された。男性の雇用機会が大幅に増えたのとは対照的に、女性が働く場を失い、結婚が最大の生存手段となったことは、当時の既婚女性が「永久就職者」と揶揄されたことからも明らかだ。都会でバリバリ働く夫（サラリーマン）と、留守番をしながら家事を切り盛りする「専業主婦」という家族の組み合わせができあがった。

当時、日本の多くの企業は終身雇用制という安定した就業形態をとっていた。その影響で、日本の女性も結婚してから何十年もの間、「専業主婦」の役割を果たすことに慣れ、家事や育児だけをこなして街を遊び歩く悠々自適な生活を送っていた。こうした結婚は昭和時代に見られ、一九七〇年代に専業主婦数がピークに達したため、この時期の専業主婦は「昭和妻」と呼ばれることもある。「昭和妻」は確かに羨望の的だ。一九六〇、七〇年代の日本の高度経済成長期を経て、バブル時代に「浪費」とも言える豪華な生活を享受したからだ。バブル崩壊後の今でも、年功序列と経済成長による夫の高賃金、高額の退職金のおかげで、「昭和妻」たちの生活はかなり潤っている。夫の高い退職金を享受している彼女たちには、景気が悪いとか、不景気とかは、ほとんど関係がないのだから羨ましい。

既婚女性の「昭和妻志向」

昭和天皇が一九八九年一月七日に逝去した直後にバブル経済が崩壊してから現在に至るまで、日本経済は低迷が続き、この状況は「失われた三十年」と呼ばれている。

それでは、低成長期に入った一九九三年以降の日本の雇用環境はどうだったのか。言うまでもなく、第一に従業員の収入が低下し、特に新入社員や結婚適齢期の若者が減給や残業の減少という現実に直面し、その結果、当時結婚した多くの女性は結婚当初から家庭経済的に困窮していた。家計の足しや自分の小遣いのニーズを満たすために、多くの女性は結婚後に家を出て仕事することを選択した。

ちょうど第二次産業から第三次産業（金融、保険、サービス、情報などを扱う産業）への移行が進んでいた時期である。第三次産業は、女性の特長を発揮できる仕事が多いため、第三次産業革命は、働く意欲のある女性の希望を満たした。実際、バブル崩壊からわずか数年後の一九九七年、厚生労働省の統計では、夫婦で働く女性の数が「専業主婦」を上回った。

これは何を意味するのか。ほとんどの日本人の結婚は、もはや男性が外の主人、女性が内の主人という状態ではなく、夫婦が一緒に仕事をし、家事を分担する結婚形態になっていることを示している。これは働いている女性にとって、もちろん良いことだが、伝統的な結婚形態の影響を受けた女性にとって、ある意味では結婚に対する本来の魅力を失ったとも言える。特に、今の中高年の「昭和妻」の悠々自適な生活を見ると、うらやましくなる。彼女たちが直面しているのは、仕事をしながら、家事、育児、介護などもすることであり、心身ともに疲れきっている。現在の二十代女性の「昭和妻」への憧れは、三十代、四十代の女性よりも圧倒的に高いという統計データがある。未婚、既婚の女性が「昭和妻志向」を持つようになり、「昭和妻」の話題がますますマスコミや社会で取り上げられるようになった理由でもある。

結婚しない女性が増加

それでは、三十年近く景気低迷の洗礼を受けてきた日本の適齢期の若い女性たちは、「昭和妻志向」以外に結婚についての考えや選択肢を持っているのだろうか。もちろん答えはあるが、非常に奇抜なアイデアも多い。

まず、「結婚したくない」という人が増えている。内閣府の「二〇一八年版少子化社会対策白書」の調査によると、現在三十~三十四歳の男性は四十七・一パーセント、女性は三十四・六パーセントが未婚である。つまり、男性の二人に一人、女性の三人に一人が未婚というのが、三十~三十四歳の日本人の未婚率である。三十五~三十九歳の未婚率は男性が三十五・〇パーセント（三人に一人）、女性が二十三・九パーセント（四人に一人）で、三十~三十四歳の未婚率よりやや低いが、いずれの年齢層で見ても日本の男女の未婚率は高くなっている。男性の未婚率が増えている理由は、ここでは取り上げず割愛する。

女性が結婚したくない理由は何だろうか。一つはキャリア型の女性が結婚したがらないのは、伝統的な女性にとっては、結婚を選択すると、苦労して勝ち取ってきたキャリアが終わり、家庭に入り、夫と子どもの相手をして、家の中で生活することを意味するからだ。伝統的ではない女性にとっても、結婚を選択すると、日本の会社の旧習によって、その後の出産、養育、休暇などで会社の仕事にも影響があるとされ、会社から重用されなくなるのは受け入れがたい。だから結婚しない女性が増加した。

もう一つは、現代の日本の女性は結婚そのものに否定的な人がますます多くなっている。女性は必ず結婚しなければならない訳ではなく、一人で働いて、生活して、友達と食事や買い物をし、勝手気ままに過ごし、特に家事や育児などの家庭の責任を担わない方が、結婚よりずっと魅力的で、セックスの問題は必要なときに対処すればいいと思っている。これは、伝統的な結婚観を、完全に覆していると言える。その結果、近年の日本では少子化問題が深刻化しており、日本の若い女性が結婚したくないということも、政府を悩ませる問題の一つとなっている。

別タイプの現代の結婚形態

以上が、現代の日本女性が結婚したくない理由についての考察だ。では、結婚を望む現代女性の間では、どのようなことが注目されているのだろうか。まず、彼女たちの結婚観も過去と大きく変化している。例えば、両親と自分の結婚観が影響し、結婚相手に対する要求が変わっている。一部の女性は両親の伝統的な観念の影響を受けて、結婚相手に対する「三高」(高学歴、高収入、高身長)の要求に固執している。新時代の女性は、古い「三高」には固執しないが、新たな要求があり、例えば男性に安定した収入があり、住む家を持っていることなどだが、これらは今の日本の若い男性の現実の就業環境の中では難しいため、これらの要求に固執すれば、徐々に売れ残った女になってしまう。

また、結婚せずに同棲する人も増えている。専業主婦としての役割を果たさず、生理的な問題も解決できるというメリットがあるのだ。もちろん、同棲している男性と結婚するケースも少なくない。面白いことに、現在の日本の女性は、このような「事実婚」を通じて、「事実婚」の「契約精神」を育んできている。つまり、同居人同士が、お互いに自分の家庭における責任や費用負担、別れる際の財産の分け方などを決めるのである。これらを通じて、先進的な女性たちは「契約婚」という新しい方法を模索している。これが、筆者がこれから話をしたい「契約結婚」である。

契約結婚とは何か。そもそもこの結婚形態の発端となったのは、数年前に講談社から出版された連載漫画『逃げるは恥だが役に立つ』だった。二〇一六年にTBSでドラマ化され、一気にヒットしたが、ヒットの要因の一つは、結婚を「仕事」とした「契約結婚」という新しい結婚形態に関心が集まったことだ。

「契約結婚」とは、籍を入れない「事実婚」の上で、雇い主である夫は被雇用者の妻に洗濯や料理などの家事をする賃金を支払い、夫婦の関係は家族の「共同経営者」となる。作者の海野つなみ氏はインタビューで、漫画を描いたきっかけは、恋愛よりも結婚を仕事として考えた方が耐えられるのではないかと考えたからだと語っている。というのも、もし恋愛だと、各方面で相手に期待し、いつの間にか、少しずつ社会的な倫理、家庭の責任の問題に陥り、相手は言わないことでも、やらなければいけないことが多く発生し、当然のごとくさまざまな不快な問題が生じ、口論になり、双方の関係にまで影響を及ぼすかもしれない。結婚を仕事と考えればビジネスなので、契約をして仕事をすればいいのだから、全ては簡単だ。

ドラマの放映後、話題となった一方で、この結婚形態に反対する声も上がった。いずれにしても、この結婚形態が登場し、多くの称賛を得たこと自体が、現代の日本女性の結婚に対する考え方の新たな選択肢であることを示している。同時に、未来の人間の結婚のあり方を考えるヒントにもなる。

女の子はどう生きるか

庫　索

フェミニズムの話になると、日本人は上野千鶴子氏に話を聞く。二〇二一年二月には、森喜朗・元東京五輪組織委員長が女性差別発言の責任をとって辞任し、後任に橋本聖子氏が就任した。上野氏は、森氏と橋本氏は政界で「父と娘」を自称しており、父親が起こしたトラブルを娘が収拾する状況になったと分析した。同年三月、東京オリンピック開会式ディレクターの佐々木宏氏が、女性タレントの渡辺直美氏に豚の役をやらせることを提案し、侮辱的な発言をしたとして物議をかもした。これを受け、上野氏はメディアに対し、二〇一七年に女優の壇蜜氏が撮影に招かれた宮城県の観光動画で性的なニュアンスを含んだシーンが批判を浴びた例を挙げ、広告業界の「男社会」が旧態依然としており、女性差別的な価値観を放置しているからこそ、こうしたことが起きるのだ、と述べた。

上野千鶴子氏は現在、東京大学名誉教授であり、四十年以上女性学を研究している。一九四八年生まれの彼女は、積極的に取材に応じているほか、『女ぎらい』『フェミニズムについて』『おひとりさまの老後』など、さまざまな女性学の研究書を出版している。二〇二一年一月には『女の子はどう生きるか』、副題に「教えて！ 上野先生」とある本を出版し、初めて十代の女性に視点を向け、男性社会での女性としての人生経験を伝えている。

上野千鶴子氏自身によると、この本を書いたのは、八十年以上も売れ続け、最近では漫画化もされた名作、作家の吉野源三郎氏が書いた『君たちはどう生きるか』（一九三七年）に感動しながらも、「完全に男の子の視点で書かれていて、女の子はどういう人生を生きていけばいいのか」と釈然としなかったからである。そこで、この問答形式の本を書いた。生活に密着した四十四のジェンダーの質問を設定し、学校から家庭、進路、恋愛、結婚、セックス関係、社会や政治に至るまで、詳細に解説している。若い女性向けの本だが、上野氏のさまざまな人生論、社会論、思想、社会知識が書かれており、十代の女性にとっては科学的な読み物かもしれないが、ある程度の人生経験を持った女性にとっては、男女平等への理解を深めることができるものである。

例えば、自立した女性と専業主婦の間の論争を論じている。質問者は「母は一度離婚した経験があり、私が小さい頃からずっと、女性は経済的に自立しなければいけないと言っている。もう聞き飽きた。Jリーガーとかｌ T企業のお金持ちと結婚して、セレブの主婦になりたいんだけど、いけないの？」

「シンデレラの夢、女の子しか乗れないパンプキンの馬車、いいわよね」上野氏は語る。「でも、パンプキンの馬車に乗るための条件がたくさんあることは知ってるかしら。まず、JリーガーやI T企業のお金持ちは、自分に並々ならぬ自信を持っているので、求める妻は自分を支えてくれる脇役なのよ。そんな男性と結婚するには、あなたが主役ではなく脇役として生きていく覚悟が必要だわ。また、このような男性は忙しくて恋愛する時間がないため、外見で女性を判断してしまうの。お金や名誉と同じように、妻も他人に自慢できる存在でなければならないのよ。一番簡単なのは、他人から羨ましがられる美貌とスタイルだわ。Ｊリーグの選手やＩＴ企業のお金持ちの奥さんには、キャビンアテンダントやモデル、女性アナウンサーが多いのもそのためだわ。Ｊリーグの選手やＩＴ企業のお金持ちは、家庭の面倒をみる暇がないの。家事や育児を完璧にこなし、文句ひとつ言わない妻が必要なのよ。美貌やスタイル、自分を磨き続けること、キャビンアテンダントやモデルといった自慢できる職業、家事や育児を文句も言わず完璧にこなすこと、夫の健康管理に熱心であること、その場その場で発揮できる語学力や社交力……そして一生脇役に甘んじている、という覚悟はできているかしら。そうでないなら、早く諦めた方がいいわ」。

上野氏は女の子たちの夢を消すのではなく、「結婚は進級でもゴールでもないわ。おとぎ話では、シンデレラと王子は幸せになったけど、その後の人生はもっと長いの。結婚しても『だめだわ、失敗だわ』と言うときもあるかもしれない。あなたのお母さんは、結婚に失敗して逃げることができた女性だけど、失敗とわかっても逃げられない女性もいるの。例えば、苦しんでいる妻たち、家庭内暴力に悩んでいる妻たちね。あなたのお母さんの言うことは正しいわ。あなたよりずっと長い人生を生きてきて、自分の失敗から人生を学んできたお母さんの言うことは、どんなに聞き飽きたとしても真理だわ。あなたの年齢は、ちょうどお母さんに対する反抗期で、あなたの気持ちはわかるわ。でも、自分に合った相手を選んで、心の底から居心地のいい家庭を築いた方が、ずっといいのではないかしら。どこかの主役の脇役になるのではなく、どちらも主役になって支え合う人生の方が、いいのではないかしら。人生には選択が伴い、選択には失敗が伴うわ。失敗した時にやり直せることが一番重要で、そうした時の最低条件は、あなたのお母さんの言う『経済的な独立』なのよ」。

新しい世代の若い日本の女の子たちは、両親の時代とは異なっており、女性と男性の働く環境が大きく変化している。前の世代の女性の間でブームになっていた「いい会社に就職して、職場でいい夫を見つけて、退職して結婚して専業主婦になる」というコースは、今後実現するのがますます難しくなっている。二〇〇〇年代に入ると、一人で働いて家族を養える男性は激減し、「男性サラリーマンと無職の妻の世帯」は「夫婦共働きの世帯」へ移り、その差が拡大し、現在では前者の世帯数は後者の半分になっている。ある調査によると、女性が専業主婦として家計を維持できる条件は、夫の年収が六百万円以上であることである。一方、別の求人サイトのデータによると、二〇一九年にこの所得水準に達しているのは、二十～三十代の男性ではわずか三・二パーセント、三十～四十代では十七パーセントに過ぎない。日本社会の平均年収は、二十代の男性が約三百六十七万円、女性が約三百十九万円で、合わせるとちょうど六百万円を超えており、家計を支えることができる。「やる気満々の十代は、自分を制限する必要はないわ。お母さんの時代にはなかった選択肢が、あなたの前にはたくさんあるのよ」。将来の夫や家庭生活だけでなく、将来の企業や社会にも、新しい世代はもっと期待を持つべきだと上野氏は言う。

もう一つの質問は、女性と学歴の関係だ。質問者によると、姉が東京大学進学を目指して浪人中だが、祖母から「もう、お嫁に行けない」と言われたという。これが男の子なら受け入れられる。なぜ女の子は東大を目指して浪人できないのか。

東京大学が女子学生の受け入れを始めたのは、戦後の一九四五年である。戦前の旧制中学校や旧制大学は男子校で、女子は女子高等学校に進学し、女子師範学校に進学するしかなかった。東大の女性教授は一九七〇年まで存在せず（上野氏は東京大学文学部創立以来二人目の女性教授）、また創立以来、女性総長は一人もいない。女子学生の比率も、女性教員の地位も、世界の先進国の大学と比べて、東大は大きく立ち後れている。二〇一九年に上野千鶴子氏が東京大学の入学式で行った有名な講演でも触れているが、日本の四年制大学への女性の進学率は約五十・一パーセントなのに、東京大学の女子学生の割合は二〇パーセントに満たない。「実は東大の先生も困っているし、東大の受験に不公平はない。女子学生の成績が悪いからかというと、そうでもない。毎年東大を受験する女性は、その割合しかいないからなの」。上野氏は、「女の子はもちろん大学に行ったほうがいいが、トップクラスの東京大学は避けたほうがいい、お嫁に行けなくなるからだという社会的な見方があるからだわ」と話す。家庭の年長者だけでなく、高校の指導教師からも、女の子は無理しなくていい、と言われることがある。理系志望の女の子がいて、指導の先生に「女の子はダメだよ、ほら、日本のノーベル賞受賞者は、みんな男性だよ」と言われる。「日本にはいないが、世界のどこにでもいる。キュリー夫人はノーベル賞を二回も受賞している。なぜ日本のノーベル賞受賞者は男性ばかりなのか。祖母や先生のような人がいて、女の子の自信をくじき続けているからだ」。上野氏がいた日本の学界でも、男性が圧倒的に優位に立っていたが、それは男性の脳が得意な仕事をしているわけではなく、男性の研究者が仕事を得やすく、家事や育児を気にせずに研究に没頭できる環境があり、成果を発表する機会にも恵まれていたからである。

「時代が変われば、女性にもチャンスは広がる。その可能性を、他人の一言で否定してはいけない」。上野氏はかつて東京大学の男女共同参画室の「責任者」だったが、東大にはいまだに自校の女子学生を入れず、他校の女子学生だけを入れる男子サークルが存在することに驚いたことがある。こんな半世紀前の時代遅れの産物が、今日まで続いているなんてと、上野氏は警告を発した。上野氏が見たところ、東大男子のサークルでモテる女子は、東京女子大や聖心女子大などから来ていることが多い。つまり、東大男子は、女性は世の中の判断基準で上位にいるべきだが、「自分」より上であるべきでないと考えているのだ。なぜ男性は女性の優秀さに困惑するのか。答えは簡単で、優越感を失ってしまうからだ。「そういう男性に選ばれないのは嬉しいことだし、結婚したら一生、その人たちのプライドを守るように気をつけなきゃいけないわよ」。上野氏は最後に「安心して。東大女子の結婚率は高いわ。今は誰かに嫁ぐという時代ではないわ。二人が選択し合って、新しい家庭を築くことを『結婚』と言うのよ」と言った。

ここ数年、日本社会で論争の的となっている「夫婦別姓」問題も、若い女性を困惑させている。日本は「妻は夫の姓に従う」という伝統を持つ国だが、日本の法律では「夫婦同姓」の原則しか定められていない。つまり、夫婦は夫の姓と妻の姓のどちらを選んでもよく、迷ったときにはコインを投げて決めてもよい。そのため、二〇一五年の日本の最高裁判所の判決では、「夫婦同姓」は男女平等の原則に反していないとされている。しかし、現実はどうなのか。日本の夫婦の九割は妻が夫の姓を名乗る。朝日新聞の二〇一八年の調査によると、夫婦別姓を支持する人は六十九パーセントに達しているが、現在も同姓制が強制されている。日本のフェミニストの姓の権利に対する要求は実に穏やかなもので、同姓制の完全な廃止を要求しているのではなく、同姓を選ぶこともできるし、別姓を選ぶこともできるという選択肢を一つ増やしたいだけだ。しかし、上野千鶴子氏が明かしたエピソードによると、日本の国会議員の中には夫婦別姓反対派が多い。その理由は、「同じ家族の中で、姓が一緒でなければ、家族の一体感を失う」からだという。これは強弁のようだ。現実には、姓が一緒でも内部はバラバラの家庭もあれば、姓は異なってもうまくいっている家庭もある。

「女性特権」や「逆差別」の問題にも触れている。通勤電車の女性専用車両は男性への「逆差別」なのではないか。男性は満員電車で苦しむが、女性には女性専用の車両があり、女性は特権を得ているのか？「そんなことはないわよ。私が乗ったときも、首都圏のラッシュ時には女性専用車両は満員だった」。上野氏は言う。「そもそも女性専用車両はなぜできたのかを、考えてみてください。女性専用車両を生み出したのは、男性なのよ。男性がラッシュ時の電車内で痴漢行為をするので、女性は自衛のために女性専用車両を設置する必要が出てきたの。こんなことで、女性に八つ当たりするのではなく、男性であるあなたたちを巻き添えにしてしまった痴漢男性を責めるべきだわ。また、電車の中で痴漢行為を見たとき、女性が痴漢を訴えるのを聞いたとき、見なかったふり、聞こえなかったふりをしないこと。男性の敵は男性だわ。痴漢を甘やかすことは、男性全体の評価を下げることになるのよ」。

二〇二〇年に世界経済フォーラムが発表した「世界のジェンダーギャップ報告書」によると、百五十三カ国中、日本は前年の百十位から百二十一位に順位を下げた。このランキングによると、日本は教育と健康分野のスコアが高いが、男女間の賃金格差や管理職などの分野では大きく後れを取っている。最も低い政治分野は百四十四位で、衆議院の女性議員の割合は十・一パーセントに過ぎない。GDP世界第三位の日本は豊かな国だが、男女平等とは程遠い国だ。

日本政府もここ数年間、「女性活躍の推進」を掲げ、二〇〇三年に「２０２０３０」という数字を打ち出した。二〇二〇年までに、社会のすべての分野で指導的地位を占める女性の割合を三十パーセントにするという。この数字を聞いたときの上野氏の最初の反応は、なぜ「2050」ではないのか、だった。女性が人口の半分を占めているのだから、三十パーセントなんて、甘すぎる。しかし、たとえ三十パーセントであっても、日本社会にとっては困難であり、二〇二〇年、実現が絶望的になると、政府はその目標を十年延長すると発表した。

この数字は日本政府の「男女共同参画」政策の一部だ。外国人の耳には意味不明のように聞こえるが、「男女共同参画」を英語に訳すと何になるのだろうか。内閣府男女共同参画局の公式英訳は、Gender Equality Bureau Cabinet Officeとなっている。これはわかりやすい。Gender Equalityとは、直訳すると「男女平等」という意味である。回りくどい言い方をせず、そのまま「男女平等」と言えばいいのではないか。当時の政権内の男性たちが「男女平等」という言葉を嫌い、官僚が忖度して「男女共同参画」という行政用語を考案したというエピソードも上野氏は明かした。しかし上野氏本人は、「男性は男性のすべきことをし、女性は女性のすべきことをする」というニュアンスがあるので、この言葉を嫌っている。

フェミニストとはどんな人たちかと聞かれて、上野氏は答えている。女性には多くの種類の人がいて、フェミニズムにも多くの種類があるの。他の人のことはわからないけど、私自身の考えでは、「女のように」「男のように」ということに縛られず、自由に生きたいと思っている人がフェミニストだわ。女性の中には「男性を敵に回したくない」と、フェミニズムを怖いと思っている人もいるわ。フェミニズムは男性を敵に回しているわけではなく、実際には個人としては問題のない男性もいて、フェミニズムの敵は女性差別のシステムを作った男性集団なのよ。

「この社会では、これだけ女性と男性の生き方が違い、どんなに性別に縛られたくないと思っても、社会は性別で縛っているの。その中で生きているのだから、見て見ぬふりはできないわ。誰も性に縛られない時代に到達するには、非常に長い時間がかかる。私が生きている間は見られないだろうし、あなたたちが生きている間も難しいかもしれない。『女性が差別されていた時代もあったのか』と言われる日が来るまで、フェミニズム研究もジェンダー研究も終われないわ」。上野氏が最後に書いた言葉だ。

この本が出版されたあと、上野氏は中学生の女の子たちとオンライン読書会を開いたが、「フェミニズムって怖いと思っていたのに、上野さんの講演を聞いて、そうじゃないとわかった」という若い子たちがたくさんいた。上野氏は、「男女平等を追求するということは、必ずしも女性が男性のように強者にならなければならないということではない。男性のように支配者になって、権力闘争に勝って、暴力的に自分の考えを押し付けることではない」と力説してきた。「男性が作り上げたこの社会では、多くの女性が困っていて、そのような戦争や殺戮の遊びには少しも憧れていない。愚かなことは、男性がやっても女性がやっても愚かなことであり、男性集団の愚かな遊びを真似る必要はない。男女平等を求める中で、目指しているのは弱者でも安心・安全に暮らせる社会にすぎない」。東京大学の入学式でも似たようなことを言ったが、男女同権主義とは、女性も男性と同じように行動し、弱者を強者に変える思想ではない。男女同権主義は、弱者は弱者だが、それでも尊重されるという思想を追求するものだ。

生まれ変わっても小説家に、そして女になりたい

庫　索

瀬戸内寂聴が亡くなる二年前、作家・井上荒野が小説『あちらにいる鬼』を出版したが、「作者の父・井上光晴と私の不倫が始まった時、作者は五歳だった。五歳の娘が将来小説家になることを信じて疑わなかった亡き父の魂は、この小説の誕生を誰よりも深い喜びをもって迎えたことだろう」と寂聴は自ら推薦の言葉を書いた。四十数年前、瀬戸内寂聴と同じく作家・井上光晴との七年間に及ぶ不倫が、日本の文壇におけるスキャンダルとなり、井上光晴の娘・井上荒野は井上光晴の死後十六年後に直木賞を受賞し、小説家として認められた。また十年が経ち、母も亡くなった後、五十七歳の井上荒野は父・光晴、母・郁子と父の愛人・寂聴をモデルにした恋愛小説を書いた。

二〇一九年、この本が出版されたばかりの頃、井上荒野はメディアに創作の経緯について語った。まず初めに編集者が「両親と寂聴のことを書いてみませんか」と提案したという。寂聴がまだ元気なので、恐れ多くて書けないと言ったが、あとになって作家の江國香織、角田光代と一緒に京都の寂庵を訪れ、

寂聴と父のことを長く話した後、心機一転し、「私は書かなければならない。彼女が元気なうちに読ませなければならない」と思った。筆を執る前にはもちろん当事者の意見を聞いたことがあるが、寂聴は少しも気にせず、「書きたいだけ書いてください、どのように書いても結構ですから」といい、その過去を詳しく彼女に話して聞かせた。寂聴は生きている間にこの小説を読んだだけでなく、荒野と何度も対談をしたことがあった。荒野は父親のどんなところが好きかを尋ね、出家して長い月日が経った彼女は、大らかに、「人を好きになるときっていうのは雷が落ちてくるみたいなものだから。理由なんかないのよ。どうしようもないのよ」と言った。興味深いことに、荒野は寂聴との付き合いのなかで、彼女と心の中で共通の感情が生まれ、「この人は私の父を心から愛している」と確信した。むしろ自分の母が生きている間に父の過去について詳しく話したことがないため、「母はどんな気持ちでずっと父のそばにいたのか」は理解できない。また二年が経ち、二〇二一年十一月九日、寂聴は心不全のため京都市内の病院で逝去、享年九十九歳であった。

寂聴の死後、荒野は『週刊朝日』に心のこもった追悼文を書いた。三十七歳の時、雑誌の仕事で京都へ寂聴を取材に行ったことを思い出し、寂聴に「命令」されて早々に予約していたホテルをキャンセルし、寂庵に宿泊した。その夜、寂聴はまず市内で有名な牛肉の老舗三嶋亭ですき焼きを食べに彼女を招待し、彼女を祇園のバーに連れて行った。同行者には寂庵で出会った別の女性編集者がいたが、彼女は途中で先に帰った。

寂聴は荒野に「あの人、小田仁二郎のお嬢さんよ」とそっと言った。井上荒野は自分自身「驚いた」と言い、寂聴もこの日のいつかこっそりその編集者に「あの人、井上光晴のお嬢さんよ」と言っていたのではないかと推測する。相手もさぞかし驚いて、心の中で自分と同じように「え!?」という声を上げているのではないかと思った。

小田仁二郎とは誰なのだろうか？　一九六二年、四十歳の寂聴は自伝的小説『夏の終り』を出版した。これは彼女の創作人生の中で最も評価された作品でもあり、小説の女性ヒロインは既婚作家と昔の恋人である若い男性との間で、複雑な「四角」関係に陥る。その頃の寂聴は、「瀬戸内晴美」と呼ばれ、井上光晴とはまだ出会っていなかった。本の中の「小杉慎吾」と名付けられた男性作家のモデルは、日本の「戦後文学の旗手」と呼ばれた小田仁二郎だった。小田は寂聴の創作人生に大きな影響を与え、後に対外的に「小田の唯一の弟子」と自称し、「小田仁二郎との出会いがなければ、作家・瀬戸内晴美の誕生はなかった」とまで語った。寂聴と小田の半同棲関係は八年間続き、いずれも彼女が小説のなかに綴っている。小説のなかに出てくるもう一人の若い男性にも確かなモデルがあった。それは、もっと前に寂聴と駆け落ちした、夫が教えた学生だった。

寂聴の豊かな感情的な経験は人々に興味深く語られ、愛人たちと決別し、彼らが相次いで亡くなってから数十年後、彼らの娘とは仕事仲間の関係を良好に維持しており、女性のロールモデルとして尊敬されている。井上荒野は「寂聴さんと会うことは旅に似ていた。実際に行ったことはないが、イメージとしてはサバンナとか砂漠とか、アラスカとかへの旅だ。行くときは興奮と緊張と、いくらかの恐れがある。そして旅に出れば、自分という人間のちっぽけさ、この世界や人生に対する足場の甘さを思い知らされて、しおしおと帰ってくる。比較の相手が大きすぎるので、よし私もがんばろう、という殊勝な気持ちにはなかなかなれず、どうせ私なんか、とふてくされて旅の後の一定期間を過ごすことになる。ただ、その旅の記憶は、自分の中にずっと残っている――ときどき、取り出して触ることができるように」と、その追悼文のなかで心境を告白している。荒野は四十歳で結婚し、出版社が彼女のために祝賀会を開いたが、その祝辞を述べたのは寂聴だった。「女流作家は、幸せにならないほうがいい小説が書けるんです。でも、おめでとう！」との寂聴の祝辞に会場の人たちは苦笑していたが、これはたしかに寂聴風の「祝辞」であった。

寂聴がまだ存命だった頃、最も注目されていたのは彼女のこれらの伝奇的な感情物語で、それらの物語は小説に匹敵する激動を備えているようであった。駆け落ち、浮気、夫と子を捨てる、文壇デビュー……五十歳を過ぎて突然作風が一転し、剃髪して出家して尼僧になったが、尼僧になっても落ち着かず、肉を食べ、酒を飲み、出家人という自覚が全くなかった。このような伝奇的な人物で、また十分に長く生きており、約一世紀を過ごし、日本の大正から令和までの四つの時代に立ち会ってきたため、彼女の逝去後、人々の関心の焦点はやはりこれらにあった――「産経新聞」の当日のニュースタイトルは「瀬戸内寂聴さん死去、愛に生きた波乱の人生」であり、さらに『週刊女性プライム』は、「『酒、肉、イケメン』を愛した波乱万丈人生」というキーワードを挙げている。

彼女はたしかに日本人女性には珍しい情熱と主体性を持っており、心ゆくままに、これまでモデルのない人生を生きてきた。二つの長きにわたる不倫の前に、寂聴は実は結婚していたのであった。二十歳で東京女子大学に進学し、お見合いを通じて九歳年上の中国音楽研究者と結婚した。結婚後、二人は北京で生活し、そこで一人の娘を出産した。終戦後は日本の故郷である徳島に戻り、夫の仕事で東京に引っ越したが、この結婚は五年しか続かず、寂聴は二十五歳の時、娘を残し、夫の教え子である四歳年下の男子学生と京都に駆け落ちした。正式に離婚後、小説家を志して東京に戻った。寂聴はその男子学生とすぐに別れたが、小説はずっと書き続けていた。

一九五七年、三十五歳の寂聴は『新潮』誌に文壇デビュー作『花芯』を発表した。既婚女性の不倫を描いたこの小説は、その年代のギラギラしたエロス描写に溢れており、女性の作者としての立場も相まって、男性主導の日本文壇で非難を浴びることとなった。小説の中で過度に「子宮」という文字を使いすぎていると非難され、子宮作家という差別的なレッテルを貼られた。寂聴は当時若気の至りで、取材に来たメディアに「この人たちはインポテンツで、妻はセックスレスだろう」と反撃し、その後さらにひどく攻撃された。その後五年、「瀬戸内晴美」は日本文壇から姿を消し、彼女の作品を掲載しようとする文学誌はなく、大衆誌に恋愛小説を書いて生計を立てていたと晩年に回想している。その頃、寂聴には「男と寝ている間に書いた」「オナニーしながら小説を書いた」などといった匿名の手紙が届くようになり、彼女は強烈な悪意を感じた。つまり、女性作家がセックスの題材を書くと、「これは彼女自身の体験だ」というまなざしでもって見られるようになり（実際にはこの小説のモデルには別の人がいる）、彼女は自堕落で淫乱な女に違いないと思われるのだ。この作品の境遇もあってか、寂聴は生涯にわたり、女性として世間の偏見と闘ってきたという信念を固め、それから六十年間彼女の作品を支え続けてきたのであった。ある意味、彼女の反撃は効果的で、二〇〇〇年、寂聴は日刊スポーツの取材に対して、「私は一度も『性』を主題に書いたことはありません。いつでも『人間』を書きました。人間の一つの特性としての性であり、子宮は胃や腸と同じ内臓の一つと思っています」と述べ、彼女はその時、記者に「私を『子宮作家』と呼んだ批評家は、後で謝りましたよ」と語った。

寂聴が文壇に足を踏み入れたのは、沈黙から五年後に書かれた自伝的小説『夏の終り』であった。この作品はまず『新潮』誌に連載され、後に日本の「女流文学賞」を受賞した。その後寂聴はベストセラー作家になり、一生懸命に執筆し、毎年何冊もの小説を出版、売れ行きもよく、出版界から一目置かれてきた。作家への道が開けた時、彼女はまた驚くべき行動を起こした。それは一九七三年十一月、五十一歳の瀬戸内晴美が岩手県中尊寺で剃髪して出家し、瀬戸内寂聴と改名したことであった。五日後、彼女は自ら『毎日新聞』に出家手記を書き、自らの行為は「念願の成就」だと主張した。晴美が寂聴になった理由については、世間では憶測が飛び交っており、彼女はインタビューのなかでも抽象的に語っている。例えば小説の創作のためには何かを捨てる必要があるなどだが、より具体的なきっかけについては言及していない。人の注意を引くためではないかと考える人もいれば、彼女は愛に傷ついたと推測する人もいる（寂聴と光晴の関係はたしかに彼女が出家するまで続いたが、彼女がのちに荒野に語った思い出によれば、出家した当日、荒野の母・郁子は彼女を見送りに行ったそうだ）が、寂聴の心の中では、メディアも世間の人々も、彼女が出家したことについて本当の心境の変化を理解していないと思っていた。

二〇一二年、寂聴は九十歳になり、『朝日新聞』の取材を受けた。この段階になって彼女はようやく全面的な話をすべて残らず話した。――それは、出家する前に、私がずっと疑問を抱いていたこと、つまり、人間の愛はもともと人を幸せにすることができないのだろうか？という問いについてである。人間の愛は無償のように見え、無私を装っているが、実は一種の自己愛の満足にすぎない。親子の愛、夫婦の愛、友人や恋人の愛……いずれにしても、相手に無償の愛を捧げるふりをしているが、ひとたび自分の欲望が損なわれると、急に憎悪に変わってしまう。しかしながら、そんな愚かさも含めて、人間はなんて可哀相なのか――そんな思いで、私は長年仏教の本を読んできた。私の人生を唯一裁くことができるのは、幼い頃に捨てられた娘だけである。この娘にも私が出家する前に、二十数年ぶりに再会した。

寂聴の人生におけるモットーは、一貫して「若い頃、思い切り生きたいように生き、やりたいことを思い切りやってきた。私はこれを貫いてきた。何の後悔もない」というものであった。が、ただ晩年に娘の話をしたときだけ、後ろめたさと悔しさに満ち、自分がしたことは間違いだったと認めた。幸いにも二人とも思い切りのよい人で、娘と再会しても寂聴は出家を止めず、幼い頃に捨てられた娘は、寂聴の死を見送るという重責を担うことはしなかった。寂聴が亡くなった時、彼女のそばにいたのは寂庵のスタッフだった。出家後亡くなるまでの四十八年間、半生を寺で過ごした寂聴。しかし、彼女の出家は、人々が想像する僧侶の生活とはあまり似通っておらず、彼女は別にひたすら仏に読経するわけでも、世間の出来事に関わりを持たないわけでもなく、むしろ出家人という身分で、より多くの社会活動に参加し、世の中を注意深く見守ってきた。若い頃、寂聴はすべての情熱を男性への愛情に捧げたが、彼女は「愛とは何か」について知りつくした後半生においてもなお強い情熱を燃やし、自己を幅広い意義を持つ人類と小説の創作に捧げ、前半生に経験した道徳の束縛を受けない恋愛におけるよりもはるかに輝いていた。

出家翌年、寂聴は京都・嵯峨野に道場「寂庵」を開き、自らを「庵主」と称し、普段の生活の拠点と写経修行の場をいずれもここに置いた。一九八五年、寂聴は寂庵で法話会を始め、毎月第三日曜日に多くの人々に対して仏法を説いていた。新型コロナ禍で中止になるまでこの活動は三十年以上続けた。

「五十歳を過ぎて仏門に入った私は、お経を読むのが苦手だったが、スピーチはできた」と、寂聴は作家・塩野七生との対談で、この活動を始めた理由を回想している。寂聴の自己認識は非常に正確で、私は後に法話会に参加した人々の回想文を読んだのだが、彼女の法話は「ユーモアと含蓄と英知に満ちている」と語られていた。寂聴の講演は、政治や仏教学分野の深い話題に触れることは少なく、自身の過去の経験や死生観から話すことが多い。たまに反戦や平和思想が交じることもあるが、核心はやはり人々の日常生活の悩みである。これは法話会の参加者によって決定されたもので、参加者には赤ん坊を抱いた女性もいれば、九十歳を過ぎた高齢者もいたから、寂聴は「来た人みんなに私が語っている道理を難なく理解してもらおう」と思ったのだ。寂聴法話会の魅力は、現場で人々の質問に直接耳を傾け、答えてくれることにもある。身内が亡くなり、悲しみから逃れられない人もいれば、恋愛で裏切りに遭った人、育児や親の介護で疲れ果てている人、お金に困っている人や、死を恐れている人もいる……。このように、人生に苦労している人々の些細な悩みに、寂聴は本当に多く耳を傾けている。彼女はまるで寺院で患者の相談に答える心理医のようである。寂聴の質問に答える角度は自分の世界観からであることが多いが、きっと治癒効果があるに違いない。彼女が亡くなる前に、法話会は毎回抽選をしなければならないほど人気があり、定員は毎回百五十人で、常に千五百人以上の応募があったものの、当選するのは十分の一程度であった。

寂庵法話会を始めた二年後の一九八七年、寂聴は岩手県天台寺の第七十三代目住職となった。この東北地方の僻地にある寺院は千年以上の歴史を持ち、奈良時代に日本全国を遊歴した行基和尚によって創始されたが、戦後初期には景気が悪く、一九五〇年代には境内のすべての杉を伐採して金を売る羽目になったこともあったという。日本の小さな寺院の多くは私人が所有し、現代社会において重い経営上のプレッシャーを負っているが、これも途中で出家した寂聴が住職を務めることができた理由でもあった。人々は彼女の名声によって寺を復興させたいと考えていた。そこで、その年から寂聴が天台寺で「青空説法」という法話会を開催するようになると、やはり全国から人が押し寄せ、初めて千人以上が訪れた。その後メディアで報道されるようになり、訪れる人もさらに増えていき、次第に数万人が狭い寺に押し寄せる盛況に発展した。最も賑やかな時期には、バスだけで百五十台が止まり、参加者の中には外国人の姿もあった。天台寺のある二戸市浄法寺町の居住人口はわずか五千人に過ぎなかったが、寺は確実に息を吹き返した。寂聴は二〇〇五年に住職を退き、その後名誉住職として、年に二、三回天台寺法話会を開いてきた。それは二〇一八年まで続いたが、寂聴の体力が続かなくなったため終わってしまったのであった。

二〇一〇年秋、八十八歳の寂聴は脊椎圧迫骨折に遭い、医師は彼女に仕事をすべてやめさせ、半年休養させた。実際には寂聴は激しい痛みで立つことができず、一日中ベッドに横になっていた。鬱々と五ヶ月病床に横たわっていたところ、寂聴の心が次第に回復し、「あと一ヶ月で立ち上がれそう」と思っていた矢先に、東北地方で東日本大震災が発生し、巨大津波と福島原発事故が発生した。テレビで放映された被災地の恐怖を見て、寂聴は反射的にベッドから飛び降り、「こんな惨いことが起きて、安心してベッドに横になっていることはできない」と心の中で思った。彼女は病床から一ヶ月繰り上げて起き上がり、被災地に赴こうとしたが、飛行機や列車に長時間乗れるようになったのは、六月になってからのことだった。彼女は急いで天台寺に行って青空説法を催した。現場には四千人以上の被災者が集まり、翌日は車で岩手県のあちこちの被災地を訪れ、粗末な避難所で人々の話に耳を傾け、生き続けることを励まし、子供たちに「希望を失わないで」と叫びかけながら、各地に多額の寄付を行った。寂聴は自ら被災した人のマッサージも手がけており、当時の新聞コラムによると、自身が若い頃に故郷の女子校で学んでいた時、学校にはマッサージの実習もあり、資格を取得しなければ卒業できなかったという。寂聴は二百人の卒業生の中で最も成績がよく、「小説を書くよりもマッサージが得意だった」という。寂聴はそのコラムのなかで、「私はこれだけのことしかできない。彼らが経験した苦しみや苦労に耳を傾け、彼らと一緒に泣く。それでも、それを続けているうちに、『私はあきらめていたが、今は生き続ける力を取り戻した。ありがとう』と言ってくれた人もいた」と語った。被災現場で見た悲惨な光景は寂聴の記憶から消えることはなく、その後十年もの間、彼女はさまざまな場面で反戦と反核について講演を続けた。二〇一一年の徳島県鳴門市での講演では、「戦争は人災であり、人為的な産物であり、原発もそうだ……子どもたちにより安全な世界を残すことは、私たち先人たちの義務だ」と彼女の理念を述べた。

寂聴は、子供たちの状況に強い関心を持っている。二〇一九年、寂庵で「十代の子どもたちに向けた法話会」を開催した。参加者は十代の未成年者で、その場で彼らが関心を持っていることや悩みの質問、寂聴による回答などさまざま行われたが、後になってそれは編集を経て講談社出版の『九十七歳の悩み相談』に収録された。これに先立ち、二〇一六年には、元厚生労働省の女性局長・村木厚子氏、女性弁護士・大谷恭子氏とともに、貧困、いじめ、虐待、性暴力に苦しむ若い女性たちを支援する「若草プロジェクト」という活動を立ち上げた。この計画は、当初は討論会や研修会の開催のみだったが、需要が増えるにつれて、専門家主導によるSNS上の即時相談を開始し、二〇一八年にはホームレスの女性たちに共有居住空間を提供し、専門の弁護士が彼女たちにさまざまな法的支援を提供するまでに発展した。寂聴の逝去後、「若草プロジェクト」のホームページに寂聴による五分間の動画が掲載された。それは生前に若い女性たちに残した最後の言葉であった。

あなたがたは、女性に生まれたからといって残念に思わないでほしい。女性に生まれたからこそ、闘いの場があるだと考えるべきである。ぜひ頑張ってほしい。あなたがたが九十九歳まで生きるには、まだまだ時間があるが、この期間をうまく利用して、女性の地位向上に向けてさまざまな努力をしてほしい。九十九歳の私から見れば、本当に嫌な時代だね。もし今死んだら残念だと思う。でも、世界は永遠にこの状況のまま続くと思わないでほしい。時代はいつか変わる。ですから、あなたがたが生きている間にそれを変えて、男女がもっと平等な時代を作っていってほしい……。だから、希望を失わないでほしい。辛く感じても、生き続けてほしい。

寂聴は社会活動に積極的に参加し、「死刑廃止」の分野に力を入れていた。一九五三年、日本で有名な冤罪事件「徳島ラジオ商殺し事件」が発生し、徳島市内の電気商が自宅で刺されて死亡した。翌年、同居していた愛人の冨士茂子が逮捕され、懲役十三年の判決を受けた。茂子は、自分は殺人をしていないと主張し、何度も再審を請求し、一九八五年になってようやく無罪の判決を受けた。この時、茂子が刑務所で病死してからすでに六年が経過していた。これは、日本の歴史上初の当事者の死後裁判となる事件でもある。当時はまだ出家していなかった寂聴は事件に注目していたが、一九六〇年、彼女は『婦人公論』誌に「恐怖の裁判」という文章を発表し、事件の経緯を詳述した。五年後、また同じ雑誌で獄中の茂子との手紙の内容が公開された。一九七一年、彼女は茂子と連名で読売新聞から『恐怖の裁判徳島ラジオ商殺し事件』という本を出版した。その過程で、寂聴は女性運動家の市川房枝氏と支援組織を設立し、茂子の無罪が宣告されるまで、二十年以上、茂子と茂子の家族を励まし支え続けてきたのであった。

出家してからも、寂聴は死刑囚に注目していた。「連続銃撃事件」で一九九七年に死刑執行された少年犯・永山則夫、二〇一一年に獄中で病死した元連合赤軍幹部の永田洋子氏は、獄中で彼女と密接な手紙のやり取りをしていたからだ。寂聴と永田の手紙は後に『愛と命の淵に』として出版され、証人として永田氏のために出廷したこともある。永田氏の死後、「出家者として、誰もが非難しているあなたを見過ごすことはできない」と『婦人公論』に書いている。死刑囚たちとの長期にわたる深い交流は、寂聴の死刑に対する強い反対思想を形成し、波紋を呼んだ。二〇一六年秋、日本弁護士連合会（日弁連）が福井市内で開いた人権擁護大会において、寂聴は彼女の「死刑も一種の殺人である」という考えを表明するために、「殺したがるばかどもと戦ってください」と過激な発言をして、少なからぬ社会の論争を引き起こした。世論は彼女が被害者の気持ちを少しも顧みていないと非難したが、最終的に弁護士連合会は謝罪せざるを得なかった。しかし寂聴の一生は論争に満ちた一生であり、彼女はこれまで世間の論争を恐れず、論争や有罪者との付き合いも避けなかった。先年、大麻吸引で逮捕された俳優・萩原健一を引き取り、彼と一緒に本を出版し、彼を息子のように剃髪修行に連れて行った。また、寂聴が亡くなる数年前、雑誌社は学術捏造の渦中にある小保方晴子氏との対談を要請したが、彼女も全く拒否せず、小保方氏が社会的にいじめを受けていると考え、小保方氏に小説を書くよう勧めた。

グレーゾーンにある人を排斥せず、汚れだらけの人を理解し、寂聴が修行で悟った衆生平等かどうかは分からないが、彼女は晩年、仏教学から学んだ「自分のことを忘れ、他人のために生きる」ことを実践してきた。歌手の美輪明宏氏は親友で、東北の天台寺で法話会に参加し、数千人が集まるにぎやかな場面を目撃したことがある。寂聴が亡くなった後、美輪明宏氏も「最大の功績は人を助けること」と懐かしむ文章を書いた。「普段の自然な姿で人々と話す内容は、口コミで広がり、多くの人々が寂聴を信頼している。組織の力に頼らず、自然とそうなっている。彼女は自分が持っているさまざまな人生体験のおかげで、他人の気持ちを理解し、何人、何十人もの人生のジレンマをともに乗り越え、人々に人生相談を提供することができた。寂聴の周りには、若者が自然と集まり、その中の一部の人も彼女の世話をしている。これで幸せだと思う」と語っている。

寂聴は宗教的に必ずしも大きな功績があるとは限らない。彼女の逝去は、宗教界に波瀾を起こしたり、人材を失ったと思われたりすることはなかった。しかし寂聴にはかけがえのない存在感があった。私は、ある日本の宗教学者の数年前の話を読んだことがある。寂聴は宗教人の代表格とも見なせるが、実は仏教界の人々は心の中で彼女を少し軽んじ、若者に対して「恋と革命」などと叫ぶ宣言や、晩年になっても枯渇しない欲望は、まったく「悟りを開く」とはいえないと思っている。「でも、寂聴は立派なことをしていると思う。人々は彼女から本当に励ましを得ることができる」と、その宗教学者は言う。寂聴には強い訴求力があり、多くの人にとって自分の価値を追求する助けとなっているが、これも日本の仏教界の人々に最も欠けていることである。東日本大震災の後、多くの僧侶が現場に出向いて読経したが、かえって自身が一種の無力感を感じるようになったともいわれる。そこで、寂聴のような例が現れたのは幸いなことであったに違いない。

寂聴の晩年の旺盛な気力と社会に対する強い訴求力は、文学にも表れている。六十六歳の時、講談社から古典の名著『源氏物語』の翻訳を依頼され、準備に五年間かけた。七十歳を過ぎて本格的に着手し、さらに五年間をかけて現代文の翻訳をすべて完成させた。『源氏物語』を現代文に翻訳することは、日本文学史においても先例が非常に多いが、その中で与謝野晶子と谷崎潤一郎の二つの訳本が最も有名である。寂聴の文学造詣はこの二人に及ばず、テキストも通俗路線を歩んでいると思われているが、寂聴は寂聴にしかできないことを常にやり遂げることができ、彼女はこの本のために現代の新しい視角を見出した。それは、女たちの『源氏物語』である。「光源氏と関係を持った女性は七割が家を出た」と寂聴はいう。彼女は自身の出家体験と結びつけ、この古典的名著から現代女性の運命と生き様を考えさせるように導きたいと考えていると語る。翻訳が完成すると、NHK教育テレビが寂聴を招いて制作したシリーズ番組『源氏物語の女君たち』は、女性が古今問わず直面する共通の運命……恋愛、不倫、三角関係、職場競争……語りは大衆的であるが、登場する女性はいかにして俗世を捨てて愛の苦悩から解放されたのか、また仏教人ならではの視点でも描かれている。寂聴が翻訳した『源氏物語』は、当時ブームとなり、二年足らずで二百万部を超え、「あらゆる現代語訳の中で最も読みやすい一冊」として評価されるようになった。

八十四歳の時、寂聴は日本政府から文化勲章を受章し、その価値が政府の認可を得るところとなった。

彼女は生涯絶え間なく創作を続け、九十歳の彼女は二〇一二年に『朝日新聞』のインタビューで、当時の執筆状況について、こう明かした。四百字詰め原稿用紙、元気な時は、毎日二十五ページ（彼女は若い時は五十ページ書けたと主張）、徹夜でペンで書き、右手が腱鞘炎になった。その間、脊椎圧迫骨折で入院しても、胆嚢癌で切除手術を受けても、小説を書き続けていた。寂聴は「お経を読むことは出家者の義務であるため少し苦痛に感じることがある。しかしながら、書くことは私の欲望であり、小説を書くことは私の楽しみだ。私自身にとって、小説を書くことは座禅よりも忘我状態に陥りやすい」と話した。彼女は最後の小説を書き終えた時、すでに九十五歳であった。ある統計によると、愛と出家で多忙をきわめた彼女の生涯の中で、合計四百冊の本を書いたそうである。

寂聴の本は、文学的な意味よりも、人生啓発的な意味の方が大きいかもしれない。出家前も出家後も、彼女はずっと先駆者だった。二〇二〇年、寂聴が一九六八年に書いたベストセラー『愛の倫理』が新装して再版された。この本によって彼女の恋愛観と価値観が最もよくわかるようになり、半世紀が経ち時代遅れになった見方もあるが、今でも通用する見方もあり、若い女性が参考にする価値がある。例えば彼女は、以下のように述べている。

今の私は、一生瑕疵のない、平穏無事に過ごす奥様のような人生に対し、負け惜しみではなく、それを決して羨ましいとは思わない。私は今も人生のぬかるみの中で、足を汚されたり、つまずいたりし続けているが、「生きている」ということは、愛に悩むことではないだろうか。

……

私の理想では、女性は徹底的に自己を実現し、独立した経済力を養うことが何よりも重要である。経済的自立を実現することは、結婚よりも重大で有意義なことである。

新刊書が出版された時、寂聴は六十六歳年下の女性秘書と対談し、当時九十八歳の彼女は以下のように語った。

私が百年近く生きてきたという感覚からすると、昔の時代に比べ、今の女性は本当に自由になった。現代女性の自由は、私が昔は想像できなかったほどである。私は、これは本当によかったと思う。ところが、今の若者たちは、その自由さを本当に認識しておらず、何でも自分のやりたいようにできるのに、いつも「誰かに何か言われるかもしれない」とためらい、心の中で怯えている。このように、過去の倫理観に左右されるのは実に古臭い。今の若者たちは、やりたいことをひたすらやればいいと思う。

……

しかし、思い切り自分の思い通りに生きている人は、自分の思い通りに生きていない人よりも多くの苦労をしなければならない。その辛さを恐れずに自分の思い通りに生きていけば、後悔しない人生を手に入れられることは間違いない。

亡くなる半年前、寂聴は最後の誕生日を過ごした。スタッフが公開したこの日の動画のなかで、彼女は、「九十九歳まで生きることは、私にとって長い一生だった。一般の人が経験してきた何倍ものさまざまな経験をした。今の私には少しの後悔もなく、この一生を十分に生きてきた」と語っている。

寂聴はこれまで誰も生きてこなかった人生を生きてきた。激しかったが、シンプルだった。彼女の墓碑銘は自分で決めたものであり、彼女の一生は「愛した、書いた、祈った」という三つの言葉にまとめることができる。寂聴は彼女の人生に十分に満足しているはずである。彼女の最後の小説のなかの最後のページにある言葉には、こう書かれてある。「生まれ変わっても小説家になりたい、そして女になりたい」と。

若者はなぜ農村に移り住むのか？

庫　索

「百万円で家を買うなんて、この数字は間違いでしょう！」国内の編集者と『100万円で家を買い、週3日働く』というタイトルの日本の新刊書を検討したところ、先方にこう言われた。私は何度も確認し、間違いなく百万円であるとやっと確信した。そう、本のなかの主人公は六万人民元相当を使って東京郊外に家を買い、週に三日しか働いていないというのは本当である。

ストーリーはこうである。二〇一五年、三十四歳の立花佳奈子さんが神奈川県横須賀市の山間部にある面積百平方メートル以上、キッチンと部屋四つの空き家を購入したが、築七十年を超え、長い間誰も住んでいないため、価格は驚くほど安い。購入した当初は廃屋のようだったが、彼女は一年かけて手を加え、二〇一七年の夏に無事入居した。立花佳奈子さんは横浜出身で、地元の大学を卒業後、主にレストランやシェアハウス（共同住宅のようなものと考えてよく、日本の若者の中で流行している一種の賃貸モデル）のデザイン改造を手掛ける会社に八年間勤務し、都会の若者と同じように不眠不休の生活を送っていた。週末も休みは少ないが、長期休暇の時は海外旅行に行くのが好きである。たくさん見て回り彼女がひらめいたのは、日本でもシェアハウスを作ろうということであった。新しい家に引っ越し、会社が経営する山中の喫茶店で働いていた立花佳奈子さんは、週六日だった勤務日数を三日に減らし、残りの四日は家にいることを申し出た。彼女はこの家を楽しい生活の場にしたいと思い、友人との集まりを召集し、料理と音楽をテーマにした小さなイベントを行い、昔の人生にはなかった生活を新たにしたいと思っている。彼女は広々としたベランダを設計し、ハンモックを取り付け、ハンモックに横になり犬を抱いて遠山を眺め、ゆっくりとお酒を飲む時間を毎日楽しんでいる。仕事の時間が激減し、収入も半減した。しかしながら、彼女はそれで困窮することはなく、自分で起業することも試み、日本でシェアハウスのプロジェクトを展開し、さまざまな土地の人と友達になり、以前よりも広い交流範囲を持つようになった。

この本の著者たちはよく知っているが、かつて「下流社会」と「第四の消費時代」という観点を指摘した消費社会研究の専門家・三浦展氏は、著書のなかで、金銭や物質から得られなくなった幸福感と日本の若者の理想的な生活形態を挙げ、帯に目を引くキャッチコピーのように「少ないお金でも幸せを感じる新しいライフスタイル」と述べている。

例えば、福岡市から長崎県五島列島に移住したシングルマザーは、毎月一万円（約六百元）の家賃で満足のいく生活を送ることができている。離島では、自分の部屋を東京・港区のセレブなマンションのようにおしゃれに改造し、アトリエにはレコード盤が並べられ、食器、調理器具、ワイン、香辛料などすべて揃えている。物はネットで購入でき、物資に困らない。彼女は放射線技師であり、毎年働く時間は三分の一で、収入は百五十万円（約九万元）だが、島での生活を完全に支えることができる。残りの三分の二の時間は家の改造をしたり、息子を連れて島でのんびり生活を楽しんだりしている。島の生活はどうだろうか？　三浦展氏が一度取材に行き、「透明な海、無人のビーチ、鬼岳という山に登り、また船で世界遺産の教会に行き、夕方は温泉に入る。その後、東京から移住してきた夫婦のレストランで夕食を食べる。五島はこんないいところだったのか。感動した」と語った。

例えば、都会で働く平凡な二十歳の女性・畠山千春さんは、二〇一一年の東日本大震災と福島原発事故で世界観を変え、自分の生活を築こうと福岡県糸島半島の山の中に引っ越し、二年後に狩猟免許を取得した。彼女は毎年秋冬になると山に入ってイノシシ狩りをし、動物の死体の解体を手がけている。イノシシ肉は冬の主な食糧だ。彼女の服も靴もイノシシの皮でできていて、まるで縄文時代に生きた人のようだ。

普段は自分も鶏を飼い、モグラも食べているが、毎月の食費は千五百円（約九十元）しかかからない。畠山千春さんの狩猟生活はツイッターやブログで人気であり、二〇一四年に『わたし、解体はじめました——狩猟女子の暮らしづくり』を出版し、講演や動物解剖ワークショップを行っている。畠山千春さんは「狩猟女子」という名前で人気になり、今も山間部の古民家でシェアハウスを経営している。シェアハウスは六人で、毎日一緒に料理を作り、買い物をしない生活を頑張っている。春夏に狩猟ができない時は、地元農家から借りた畑で米を作り、梅の木やビワの木も借り、実が熟すとネットを通じて友人や知人に売る。普段は自分でも梅酒を入れたり、ビワの葉でお茶を入れたり、庭に植えられたドクダミを薬草にしたりしている。食塩は海水を蒸留したもので、味噌も自分で手作りしている。体調が悪い時、最初にすることは医者に診てもらうことや薬を飲むことではなく、同じシェアハウスに住んでいる整体師に整骨とマッサージをしてもらうことである。将来、彼らは自分で漁をする計画もある。地震のパニックを経てから、「自分が食べているものが何なのかわからなくて不安だった」と語る畠山千春さんは、今では食べているものはすべて自分で手がけているという自給自足の生活を楽しんでおり、本人の言葉でいえば「私は生活実験家」であるという。

著者の三浦展氏の分析によると、日本の若者たちのこれらの新しいライフスタイルは、いうまでもなく第四の消費時代が前進したことの表れである。つまり、これは物質的な豊かさから人間関係の豊かさへ、個人所有の志向から共有（シェア）の志向へ、欧米・都市化志向から日本・地方志向へと転換する時代の到来を意味する。六年前よりも際立っているのは、若者の切実な生活への実感がより求められていることであり、彼らが都市部から農村や山間部に移ることは、実は一種の「リサイクル生活化」への追求なのである。

高齢化、少子化、過疎化は、現在日本の農村が直面している三大問題である。そこで、新たな血を吸収するために、各地方自治体が続々と支援策を打ち出している。

大阪と京都の隣に位置する和歌山県は全域で「過疎化対策」を実施、移住者の条件に応じた資金援助を行い、二十〜四十代の若者は最大二百五十万円（約十五万元）の生活補助金を一度に受け取ることができる。宮城県七ヶ宿町では、四十歳未満の夫婦で子どもが中学生未満の移住者は、満二十年住めば無料で住める土地や住宅を手に入れることができる。岩手県八幡平市では結婚すると五十万円（約三万元）のお祝い金、熊本県産山村では第一子出産で奨励金二十万円（約一万二千元）、第二子出産で三十万円（約八千元）、そして第三子を出産後五年間は毎月一万円（約六百元）の支給を受けることができる。子育て中も医療費の心配はなく、十八歳以下の未成年者の医療費を全額免除するなど、日本中で十五の自治体が新たな施策を実施している。

高知県高知市は移住者の農業従事を奨励し、農業に従事する新人のために一～二年の研修期間を用意し、毎月十五万円（約九千元）の研修費を支給している。また、熊本県八代市と富山県高岡市は、五年間で年間百五十万円（約九万元）の生活費、広島県北広島市では、農業用の専用機械を購入する場合は、五百万円（約三十万元）以内の補助を受けることができる。起業への支援はさらに強化されており、新潟県長岡市はその最たるモデルケースの一つである。新潟県長岡市は、中小企業の起業に補助金を提供、事業の将来性に応じて最高一千万円（約六十万元）を受け取ることができる。日本で会社を登記する場合、起業時点の資金は五百万円（約三十万元）である。長野県大町市も起業家にとって天国といえる場所であり、こちらは二千五百万円（約百五十万元）の設備資金融資を年利わずか一・六パーセントで提供している。

日本の移住例におけるモデル的な存在として、四国地方北東部に位置する神山町がある。一九五五年時点でもこの村の人口はわずか二万千人であったが、二〇一五年には六千人に激減した。ゆえに、もし二〇一一年の「創造的過疎化」の提唱スローガンがなければ、今は無人村になっていたかもしれない。神山町の提唱理念にはこう述べられている。

人口減少は避けられない傾向であり、「数」ではなく「質」を重視すべきだ。農業振興が天に登るよりも難しいことを意識するようになった後、神山町は二〇一〇年からサテライトオフィスを導入、テレワークのモデルを採用し、逆潮流の新技術新区となった。その最初の取り組みは、町内各地に高速ブロードバンド網を大規模に敷設し、続いて空き家資源や芸術家滞在手当を提供するなど、さまざまな優遇策を打ち出したことである。これまで過疎地の林間には、ＩＴや広告業界をはじめとする衛星企業三十三社が集まってきた。それによって地域住民における雇用問題の解決に繋がったほか、都市部の若者とその子供たちも一緒にやって来た。こうして二〇一一年一月には、神山町の転入人口（百五十一人）は初めて転出人口（百三十九人）を上回り、「神山の奇跡」と名付けられた。

最近注目されているのは日本海側にある島根県で、二〇一五年に「最も人気のある移住先ランキング」で三位に躍進し、ここに移住を希望する若者が圧倒的に多くなったが、そのうち二十～三十代が五十パーセント以上を占めている。島根県の人口は全国四十六位にとどまり、東京から遠く交通の便が悪いが、その島根県が、なぜ若者が帰り着く所となったのだろうか？　その理由は、ここには日本海に浮かぶ隠岐諸島があり、海が穏やかで、食べ物が美味しく、地元民の気質が素朴だからだ。また地方自治体が積極的な広報活動を行っており、広告の宣伝や新商品の開発のほか、地元の「ふるさと島根定住財団」という機関が移住費補助を特別に提供し、ＩＴ関連の起業を行う移住者に資金支援を行っているからである。……さらに島根県は、農業、林業、漁業、伝統工芸や介護系の仕事を希望する人に三ヶ月から一年の就業体験機会を開放し、参加者一人につき月額六～十二万円（約三千六百～七千二百元）の補助金を支給し、子供のいる家庭ではさらに三万円（約千八百元）が上乗せされる。一年後には、パフォーマンスがよければその仕事を継続でき、認められなかった場合でも他業種の仕事を探すことができる。二〇一九年現在、島根県の産業体験には千五百人が参加しており、定住率は確実に上がっている。

これらの農村に移住した人々も、そこで自己実現や事業創出の方法を見つけることができた。

二〇一四年、私は新潟県十日町市池谷集落を取材し、京都大学を卒業した多田朋孔氏に出会った。彼は三十二歳の時、東京での仕事を辞め、妻と二歳の息子の和正くんを連れて農村に移住し、農業に従事して生計を立ててきた。五年後、彼は自分の望む生活を得て、農民としての条件を備えるようになり、毎年千四百キロの米を生産している。当時、若者の農村移住は今のように流行していなかったが、多田朋孔氏はすでに深い考えを持っていた。「将来、私の子供は大人になる。もしずっと都市で生活していたら、何か災害が発生すれば、食糧の問題に直面する。そこで、今から自給自足の生活を始めるのが、より理想的なライフスタイルかもしれない」と。その後、私は彼のツイッターで池谷の生活をよく目にし、彼は二〇一八年冬には『奇跡の集落：廃村寸前「限界集落」からの再生』という本も執筆した。二〇〇四年の中越地震後に六世帯計十三人しか残っていなかった集落が、二〇一九年には十一世帯二十三人に増加した。

日本では、ますます多くの若者が農村に移住する姿に出会った。京都の山中には、世界一周から帰ってきた若者がいる。京都の海には、都会生活に飽きた東京の青年がいる。京都の農村への移住ブームは、東日本大震災の後遺症が最初だったと地元の人が教えてくれた。独身の若者は、自分の生活や命を知らないうちに他人に任せることに疑問と不安を抱き始めており、どこでどのように自分の生活を手に入れていくべきかという意識が彼らの心の中に芽生えた。また、結婚し、とりわけ子供が生まれた家庭は、将来の未知のリスクを避け、真の「人間としての居場所」を探したいと考え、首都圏からの離脱を決意した。特筆すべきは、農村に来た若者は、隠れた田園生活に憧れているだけではなく、それぞれ起業を始め、民泊をしたり、旅行ガイドをしたり、レストランやカフェを開いたり、クリエイティブな製品の開発を行ったりして、都市での企画経験を農村に活用することで地元の凋落した職人や工芸を復興させたり、農村と農村の間のさまざまな活動に繋げていることである。これらの若い移住者は自分たちの生活のためだけでなく、居住地の将来を長期的に考えている。かつて彼らは都市の荒波に埋もれた、小さな存在であったが、ここでは未来の生活が自分たちによって作られていることを実感することができる。今、日本中の若者にとって起業ブームの最もホットな場所は、都市ではなく農村にあるといえる。

私は沖縄の竹富島には何度も行ったことがあるが、この周囲九キロ、わずか三百六十一人の住民しかいない可愛い島には、現代日本人が生活で依拠しているスーパーやコンビニは一軒もない。竹富島には陶器製作工房があり、沖縄地域では数少ない琉球獅子（シーサー）の製作過程を学べる専門店である。この陶器工房の店主・水野景敬氏はもともと横浜出身で、二十年前に家族旅行で竹富島の虜になり、それから間もなく自家用車に荷物をぎっしり詰め込み、夜昼なく四日間車を運転し島にやってきて、戻らずにずっとそこにいる。唯一の生活源はこの工房で、独自に設計した琉球伝統の陶土食器を販売している。彼は次第に業界で名が知られるようになり、竹富島物産センターに彼の作品が並ぶだけでなく、高級ホテルからの依頼によってオーダーメイド品を作り始め、時折、東京・代官山で個展を開いている。これは、若い頃陶芸を夢見ていた水野氏にとっては夢のような生活である。

しかし、事は決して順風満帆ではなかった。なぜなら、沖縄は典型的な男性優位の社会であり、女性の地位が低く、男性の社交場にもあまり現れないからである。そこで、都市で育った妻は適応できず、移住して三年後、水野氏と離婚して都市に戻った。また何年も経ってから、水野氏は島に来て風景を撮りに来たカメラマンの暁子さんに出会い、再び結婚して娘が生まれ、今は一緒に島で暮らしている。竹富島は高齢化が深刻で、小学校でもいじめが起きたり、島人同士のトラブルや摩擦も少なくないが、二十年慣れ親しんだことが水野氏にすべてを受け入れさせた。今も「本当に海が好きで、夏になってから毎日行ったり、サーフボードをしたり、マンタの下で泳いだり……やっぱりここに住んだほうがいいな」としみじみ感じている。

水野氏のような人は、沖縄のどの離島でもよく出くわす。「日本最南端の碑」が建つ波照間島では、数年前に大阪から引っ越してきた夫婦と出会った。彼らはアイデアに富んだかき氷店を経営しており、その店も島で人気のあるランドマークとなっている。また、「日本最西端の碑」が立つ与那国島では、恰幅のいいカレー店主と出会った。四十歳の彼は北海道出身で、数年前に東京の仕事を辞めてここにやって来た。彼は、やっと世間から離れた場所を見つけたような気がしたと語る。後に私が知ったところでは、彼は島の娘と結婚して子供が生まれ、満足した生活を送っているということだ。二〇一八年に西表島で出会った歯科医も横浜出身で、東京の大学病院でしばらく働いた後に島にも移住し、この島で唯一の歯科医になった。私たちは後に友達になり、彼が毎年半年間世界中を放浪しているのを見て、羨ましく思った。

「ごみごみした都市から逃がれたい、美しい自然とともに暮らしたい」——今日本で起きているこの「移住」ブームは、五十年前の「上京」路線とは明らかに正反対で、地方や農村に回帰し始めている。統計によると、二〇一五年に東京からの流出者数は三十七万人を超えたため、メディアではこの年を日本における「地方創生元年」と呼んでいる。二〇一七年になると、東京圏への流入人口は十二万人を超えたため、東京は依然として日本一多くの人口を抱える大都市である。しかしながら、「都市住民の農山漁村に関する意識調査」では、「移住の計画がある」または「いずれ移住する」「条件が合えば移住してもいい」と答えた人が三十・六パーセントであり、そのうち二十〜二十九歳の若者はなんと七十パーセントにも達したそうである。

なぜ都会ではいけないのだろうか？　それは、農村には都市よりも恵まれた自然資源があり、現在、そこに生活条件と仕事のチャンスもあるからである。

時速三十キロのスローな世界を作る

庫　索

水戸岡鋭治氏との会話は、京滬高速鉄道のスピードアップから始まった。

「時速三百五十キロ!?」目の前には日本で最も有名な列車デザイナーが座っており、七十歳に似つかわしい白髪で、顔に一瞬驚きを浮かべた。日本では、新幹線の最高時速はまだ三百二十キロにしかならない。水戸岡鋭治氏の価値観とははるかにかけ離れている。

「私にとって、『遅い』と『速い』は同等の価値があり、時速三十キロと時速三百キロで生み出すことができる価値は同じである」。列車の設計に携わって三十年、時速三百キロは現代人の速い生活の常態になりつつあるが、水戸岡氏はあえて時速三十キロの遅い世界を作ることに力を入れている。

常識が後退し、感性が先行する

二〇一七年夏、水戸岡氏とこの会話を始めた。当時彼はすでに七十歳であった。

今、九州を旅行する観光客は、十中八九、彼が設計した観光列車に乗ることだろう。人気の高い「ゆふいんの森」と蒸気機関車「ＳＬ人吉」から、九州を横断する「九州横断特急」、「日本三大車窓」とされる「いさぶろう・しんぺい」、「海幸山幸」、「あそぼーい！」から「指宿のたまて箱」、「Ａ列車で行こう」まであるが、最近日本中で人気を集めているのは豪華列車「ななつ星in九州」で、一人百五十万円の高額チケットが売られている。和歌山のあの猫好き萌え「たま電車」も、彼の手によるものであり、一見して個性がそれぞれ異なる列車であるものの、それは実は常識が退き、感性が先行するという点で同じ世界観を持っている。

日本で第二の水戸岡氏のような人物を見つけるのは難しい。彼はとりわけ鉄道についての訓練を受けてきたわけではなく、四十歳になるまで鉄道についての知識は全くなかったが、それから三十年間、ＪＲ九州の列車デザイナーを務めてきた。彼はＪＲ九州のキャリアが最も深い人の一人であり、社長が初代から五代目になるのを見てきた。

「二十五歳の時、私は東京に個人事務所を設立し、イラストデザインを手がけた。主な仕事はマンションビルや商業施設の設計図を描くことだった。四十歳近くになってから、本当にやりたいのはデザイナーだと気付き、福岡郊外にあるホテルの設計に要請に応じて参画した。もちろん建築家のような専門的な仕事ではなく、デザインしたのは客室の壁紙、ベッド、照明器具、宣伝ポスターだけで、美術設計に相当する。ところが、このホテルが九州で非常に高く評価され、マスコミが殺到したことで、ＪＲ九州の初代社長・石井幸孝氏と知り合い、まったくの偶然の縁で鉄道デザイナーの道に足を踏み入れたのであった」。

水戸岡氏と石井幸孝氏が出会った一九八七年は、日本の鉄道にとっても重要な転換点だった。この年、国鉄は民営化し、JR九州も一貫した官僚体制を捨てて「顧客本位」で考えることにした。石井氏は水戸岡氏のデザインの才能を評価し、JR九州が実施する観光列車計画に招待した。鉄道について何も知らないにもかかわらず、水戸岡氏はこの面白い仕事に心を打たれ、喜んで引き受けた。

当初は「あれだけプロがいるのに、なぜ素人に任せたのか」と社内から反発された。石井氏は「ブランクこそ最高だからだ。多くのプロがいるが、私がもっと欲しいのはアイデアだ」と主張したのであった。

水戸岡氏が差し出した名刺には、彼がJR九州のためにデザインした最初の列車のロゴである目立つツバメの絵柄が印刷されていた。一九九二年に誕生した七八七系特急「つばめ」は、二〇〇四年まで北九州の門司港駅から南九州の西鹿児島駅（現・鹿児島中央駅）間を運行していた。デザインの中で、水戸岡氏は一貫した赤、白、黒という伝統的な色彩を打ち破り、これまでにない斬新なメタリックグレーの列車を発表した。

鉄道に対する理解不足は別に致命傷ではない。水戸岡氏は感性的な角度から考えること、つまり、四時間十分の長い旅の途中で、人々はどのような空間に身を置くことを期待しているのか、がよく分かっている。そこで、最終的に、特急「つばめ」には、立食式ビュッフェやカウンター、ソファを備えたラウンジ、専用のビジネスラウンジを登場させ、車内のテーブルや椅子をすべて地元の木材で作った。

後に国際的なデザイン大賞を受賞したこの列車は、列車を作るだけでなく、贅沢な旅を提供するという水戸岡氏のその後の設計に対する理念を確固たるものにした。

「最初は本当に何も知らなかった。鉄道のことを全く知らないまま、列車の設計を始めた。建物のことを全く知らないまま、駅の設計を始めた。船のことを全く知らないまま、クルーズの設計を始めた。この世界では、知識やルールだけに頼っていてはできないことがたくさんあり、いかに知識やルールを超えて人々に感動と楽しさに満ちた空間を作るかが、私の最も重要な課題である。技術や学問が先行し、デザイナーの気持ちを一般の利用者に伝えるのは難しい。実はすべてのデザインはみな同じで、感性が重要なのである」。

列車は、出会いの空間でもある

水戸岡鋭治的な感性は、後のすべての作品に表れている。彼は、「列車は、出会いの空間でもある」というように、生来ロマン主義的な感覚を持っている。

「列車の中での人と人との関係について、何が一番楽しみかといえば、人々に楽しい会話の時間を過ごす空間を提供することだと思う。列車の中でグルメを出したり、お茶を飲んだり、音楽を流したり、すべてが人と人が時間を共にするためのサービスである。人と人は列車の中で偶然出会い、列車の中でさまざまなストーリーが起こる。列車を舞台にするのが、私の仕事である」。

最良の舞台効果を生み出すためには、最高の素材を使わなければならないし、最高の料理を提供しなければならず、「このような舞台はきっと感動を生む、私はこのことを信じている」と語る。

「SL人吉」列車に乗ったことのある人は、水戸岡氏が前後の展望窓の前に置いた二つの木の椅子を忘れないだろう。全面がガラス張りで、列車が噴き出す黒い煙と田園の風情が望めるが、そこは子供だけが使用しており、大人はその楽しみを独り占めすることはできない。

「この二つの椅子は『SL人吉』のテーマともいえるもので、普通の列車にはそんなものは置かないと、提案した当初は反対の声も少なくなく、もし子供が転んだらどうする？と、その場所に椅子を置くのは危険だと思われていた。結果的に私が勝ち、そこは列車全体の中で最も楽しい場所になったのである」。

少年たちが一度は「SL人吉」の木の椅子に自ら座ってみたいと思っているように、水戸岡氏が設計した列車のほとんどが子どもにとって天国にもなっている。こうした面からいえば、観光列車は日本における鉄道の外延を広げている。すなわち、「最新の鉄道ブームで鉄道ファンが大幅に増えた。彼らは昔の『鉄道オタク』とは打って変わって、主に家族の形で現れた。お母さんと子供、お父さんとお母さんと子供、おじいさんとおばあさんと孫……などの旅行が増えた」。

なぜこのような変化が起こったのだろうか。

「観光列車が登場する前は、日本の家族旅行の基本的なスタイルはドライブ旅行であり、親は前に座り、子供はシートベルトを締めて後部座席に固定されて座ったものである。子供は窓の外の景色に心を奪われていたため、親との間にも交流がなく、手に持っているゲーム機で旅の時間を過ごすだけで記憶に残るものはなかった。

ところが今では、沈黙していた家族が観光列車の木のテーブルの前に座って、お弁当を食べながらおしゃべりをしたり、窓の外の景色を一緒に楽しんだりしている。日本の若年世代の両親は、ほとんど子供と会話する時間がないため、家族で楽しめる、このような空間を作りたいと思っている」。

普段子育てに追われている働く女性にいたってはどうなのか？　彼女たちも忙しい日常のなかで、自分だけの空間、つまり、車や飛行機、船よりも、観光列車に子供のために自由に動ける安全な空間を見つけようとしている。つまり、お母さんがそばで寝てもいいし、一人で本を読んでもいいし、母子双方がそれぞれ完全に独立した自由な時間を持っているのは、鉄道だけに時間限定で供給される貴重な時間かもしれない。

九州のほか、四国の愛媛県では水戸岡氏が古い貨物列車を全開放の観光列車に改造し、「しまんトロッコ」と名付けたこともある。多くの鉄道ファンにとって、安い運賃で夏の山間をゆっくりと走る黄色の列車は、鉄道旅行の最も素晴らしい思い出となる。真夏の最も暑い時期、四方は開放され窓がなく、山奥に入ると清風が吹いてくる。小川のせせらぎ、セミの鳴き声……。この時は列車の中ではなく、自然の中に身を任せる。

「通常、列車を設計する際には、搭乗する時間が最も重要な検討項目である。十五分～二十分は通常通勤電車で、これからは一時間、三時間、五時間の観光列車であるが、一泊するのであれば、完全に高級ホテルにする方針で進めるべきである。デザインは旅の距離で決まるが、『しまんトロッコ』は別である。自然の風を感じることができるのはその恵まれたユニークな要素であり、他のどの車両も真似できない。自然のなかで、偶然の出会いはすべて運にかかっている。それが最高の旅である」。

「しまんトロッコ」で遭遇したのは清々しい風だけでなく、土砂降りの雨もあれば、満天の大雪もあり、すべてを自然に任せた旅は、出会いの運と呼ばれている。「『しまんトロッコ』に乗って、雨も楽しみ、風も楽しみ、雪も楽しみ、楽しい思い出ばかりが残っている。いわゆる旅行とは、不都合の連続であり、その不都合を受け入れて楽しめることが最も重要である。人生もまたそうである。人生も不都合の連続体であり、何よりも楽しむ気持ちで乗り越えることが重要なのである」。

列車の設計という仕事のなかで、水戸岡氏に長く影響を与えている三つのキーワードとは、「比較しない、不都合を受け入れる、対立構造を作らない」というものである。

ゆっくりと行くことには意義がある

二〇一三年秋に運行を開始した「ななつ星in九州」は、日本初の周遊観光列車であり、日本史上初の超豪華寝台列車でもある。三泊四日と一泊二日の二種類のコースに分かれており、九州各県を周遊することができる。この列車は七両編成、ツインルームは計十四室で、一度に最大で搭乗できるのは二十八人である。

五つ星ホテルに匹敵する贅沢な空間で、地元最高の食材で作られた料理を提供し、列車の旅のなかで、九州の自然、食、温泉、歴史、文化を一網打尽に堪能することができる。

「ななつ星in九州」は設計から完成まで、水戸岡氏が三年という時間を費やし、建造費は三十五億円に達している。運賃も三十五万円から百五十万円とまちまちで、鉄道ファンも目を見張るほど高いが、予約者は多く、最も人気のある部屋の抽選倍率は百八十倍にも達した。——それでも二十年でやっとコストを回収できる。水戸岡氏の言葉でいえば、「ななつ星in九州」の最も重要な目標は利益ではなく、九州観光を宣伝するモデルであることである。最高基準の列車を作ることで、地域全体のイメージと品格を高めることができる。最高基準の列車を作る鍵は、最高レベルのサービスと最高レベルの料理を提供することにある。

「私にとって、乗客の気持ちを常に考えることは永遠に変わらないスタンスである。もうひとつのこだわりは、『オンリーワン』のものを作り、他社にはないもの、忘れてしまったもの、まだ気づかれていないものを作ることである。『天下一品』ではなく『オンリーワン』を作ることである。九州ならではの列車を作るには、この地域沿線の食材、文化、人をすべて取り込み、その三者を併せ持つことで、唯一無二の列車が誕生する」。

そこで、水戸岡氏が設計した列車の中には、いつも驚くほどおいしい料理があり、お粗末な駅弁とは異なり、地元の旬の食材を厳選し、地元の有名レストランのシェフを招いて監修している。最新作では、東急電鉄と伊豆急行が協力し、ＪＲ横浜駅と伊豆急下田駅の間を走る「THE ROYAL EXPRESS」（ザ・ロイヤルエクスプレス）があり、三時間の旅で、高級料理一食を組み合わせた食堂車専用列車を制作した。価格は二万五千円から三万五千円で、一回につき百人を収容可能、八両の車両はすべて食堂スペースで、列車には専用キッチンが配置され、車両でいつでもさまざまな演出ができ、車両をチャーターして結婚式やミニコンサートを行うこともできる。

「列車の中の料理は少し贅沢でおいしいものにしたい。せっかくの旅行なのだから、料理はおいしくあってほしい」と水戸岡氏は言う。

「人と過ごす時間を楽しくする要素は、何かを食べたり、何かを飲んだり、何かを話したりすることの三つにほかならない。それは世界のどこでも同じである。列車の中で食事をするのは、レストランで食事をするよりも数倍おいしい」。

人間は五感を刺激した体験が長く記憶に残っているものだが、五感は舌先だけで味わうものではない。

五感は味覚と視覚こそが頂点なのである。雰囲気のよい空間で、窓の外を流れる美しい景色を見て、良質なサービスを受け、気持ちのよい音楽を聴き、ほどよい具合におしゃべりができる旅の仲間がいてというように、すべてが重ね合わさって、ようやく「おいしい」という言葉が形成されるのである。

七十歳の水戸岡氏は相変わらず忙しい毎日を送っており、設計スケッチの完成後、日本全国各地の職人を集めて列車を作ろうとしている。彼の事務所はわずか十五人の小さな事務所だが、日本中の職人が彼の仕事のチームメンバーであり、どの地域の列車も、地元の職人を招いて作り、車両に作品を並べているのが水戸岡列車の特色の一つである。彼より前に、日本国内ではまだ誰もそのようなことを手掛けたことがなかった。

彼は鹿児島の仏壇職人を招いて金箔のウィンドーサッシを作り、家具職人、博多織職人、八代畳職人を何度も招いた。「ななつ星in九州」では、各客室の洗面所は、いずれも十五代目酒井田柿右衛門が手がけた高価な陶器であった。職人に対する信頼は、金銭や名声とは関係なく、彼らの体ににじみ出る情熱によって醸成される。彼はかつて、「私の家族は家具製造業に従事しているため、職人への信頼と尊敬は普通の人よりも大きい。私の設計略図は、最終的には完成品の五十パーセントでしかなく、残りの五十パーセントは、現場で職人たちと話をしたり仕事をしたりする過程で、彼らから得たヒントである」と本に書いたことがある。

その話の直後、水戸岡氏はクルーズ船の設計という新しい仕事を始めた。その計画は、百二十人を収容可能な六十の客室を含む七階建ての構造で、日本を中心に世界を一周する「海上のななつぼしin九州」を建造するというものである。船内は同様に、最高レベルのサービスと料理を提供し、ロビーやサロン、レストラン、居酒屋、図書館や各種娯楽施設も設置する計画である。

「乗り物の分野では、船を設計するのが一番難しい。なぜなら、周りは海だらけで、景色もあまりなく、船酔いも大きな問題だからである。どうすればもっとゆっくり走れるか考えているところだ」。彼は海上の美しい時間を作りたいと考え、船を造るのではなく、島を造るという新しい案を提案した。船にたくさんの木を植えて森を造れば、それは海で止まるといつでも孤島になる。できるだけもっとゆっくり走行すれば、まるで走行中もゆっくり浮かぶ島のようになる。そこで何日か船の上で夜を過ごすのは、島で休暇を過ごすのと同じような感じである。

この理念は、デザイン列車と同じである。つまり、スピードが速いのはもちろん価値があるが、ゆっくりと進むのにもまた意義があるのである。

「ななつ星in九州」は駅で六時間止まっても文句を言われることはない。停車している時間の中に素晴らしい空間がずっと存在し、車内サービスが停車中も行われているので、誰もイライラしない。船も同じ理屈で、海に入ったら走らなくてもいい。

「スピードはあまり期待するな。遅いほどいいこともたくさんある」。これは、水戸岡氏の「唯一無二」の哲学なのである。

日本の男性は化粧が好き

張意意

　朝出勤して駅に向かう道を歩いていると、慌ただしい足音とともに、傍にはさまざまな香りが漂ってくる。昔は香水の匂いで、傍を歩いているのが男性なのか女性なのか判別できた。しかしながら、最近は男女ともに使える中性的な香水が流行するようになっているため、男性なのか女性なのか、私は当ててみようとしなくなった。ところが、ある香りによって、私の好奇心がかき立てられた。それは、その香りは香水ではなく洗剤に添加された芳香剤で、さわやかでほんのり甘いフルーツの香りであるが、それとともに私の傍を歩いてきたのは軽やかで陽気な女子学生ではなく、なんと、がっしりした体つきのたくましい男性の若者だったことである。

　私の家の近くに大学柔道部の学生寮があるため、通勤途中に学生によく会うが、むせるどころか、とても鮮やかな香りがする。毎日大量の汗をかくような練習をしているからこそ、臭気があたり一面に立ち込めないように清潔感にはなおさら気を付けるようにし、洗濯に芳香剤を多めに入れて周囲を快適にしているという。彼らが重い体を揺らして大股で歩く姿を見て私は心の中で笑い、思わず彼らをじろじろ見た。さらに驚いたのは、彼らが一つ一つ眉毛を整え、描いた跡があり、肌が柔らかく、丁寧にケアされているのが見えたことだ。

また、喫茶店で座ってアフタヌーンティーを飲んでいると、隣に若い男性が二人来た。彼らの身なりはごくふつうで、顔は端正で、清楚で目を引く感じである。しかも、眉毛は明らかに手入れされており、唇の周りは潤って光っている。二人はお茶を飲みながら関西弁で話し、どうやらスキンケア用品やメイクの話をしているようだ。

スキンケアに気をつけてメイクをする男性はますます多くなってきているようである。インターネットの発達に伴い、「インスタグラム」は人々に自分を見せる舞台を提供している。誰もがこの大舞台の俳優になり、最高の自分を見せることができる。二〇〇三年前後にペ・ヨンジュン、イ・ビョンホン、チャン・ドンゴン、ウォン・ビンといった韓流の四天王が日本の「韓流ブーム」を巻き起こし、その後、次世代の「若いイケメン」が日本に上陸した。「韓国型美男子」は、すでに化粧をする男子の代名詞となっている。今では東京で最もおしゃれな渋谷や原宿だけでなく、ほとんどの街で見ることができる。特に大学生が集中している地域では。化粧が男子の日常に溶け込んでいるため、好奇心でじろじろ見ようとする人はいない。

今は「顔を見る男子」の時代だという文章がある。さまざまな宣伝本や講座が人気を集めている。『五分でイケメンになる方法を教えます』はベストセラーで、この本のテーマは五分で目がキラキラし、頬がきれいになる方法を教えることである。この本を読んだ人は、ネット上で「素人でもすぐに覚えられる。化粧のことではなく、身だしなみのことをもっと重視している。サラリーマンや従業員などには必須である。健康や外見はますます重要になっていると思う。この本はまさにバイブルのようなもので、ためになる」とコメントしている。また、「クマと暗い斑点を少し隠すと大きく変わる。この本を通じて私は自分を変えた。多くの人に自分を楽しむ方法を知ってほしい」と話す人もいる。著者の高橋氏は、自身が長年培ってきたノウハウを通じて、ユーチューブに動画を頻繁に投稿している。むくんだ瞼が消え、団子鼻がぴんと伸びているように見える。高橋氏のファンはますます増えている。

本屋には、『なぜ一流の男性が肌をケアするのか』『お金を稼ぐ男性の知られざる男性美容法』『美男子はどうやって作られてきたのか』『男子の美容武装』『男子の眉毛スタイル革命』『眉毛形成理論』など、男性向けの美容化粧ガイドが並び、男性誌では新たなトレンドの大予測といった類の記事が次々と登場し、その方向性が窺える。

化粧はSNSに頻繁に登場する大学生に限らず、面接時に相手に好印象を与えるための大学卒業生や、すでに働いている販売員なども含まれており、このトレンドはさまざまな年代、さまざまな業界でじわじわと普及している。

日本の会社は会社のイメージを非常に重視し、新入社員の基礎教育において厳しい身だしなみや礼儀の教育を行っている。私が入社した企業で最初の三ヶ月間に研修を受けた時、従業員として少なくとも三足の靴を用意し、毎日靴下を替えるよう会社から要求されたことを覚えている。靴下に穴が開いているのはもちろん論外である。月に一度は髪を切るなどしなければならない。顧客のオフィスやレストランは、場合によっては畳で、靴を脱がなければならないため、靴下にはとくに念を入れている。

二〇一一年の東日本大震災後、オフィスビルや企業はさらなる節電に乗り出した。蒸し暑く湿気の多い日本の夏、エアコンの設定温度二十七度の室内では、汗だくになってしまうのは避けられない。そこで各種除菌汗拭きシート、制汗スプレーが流行した。汗を拭くティッシュにはさまざまな香りが入っているものもあれば、化粧水などのスキンケア効果のある成分が入っているものもあり、自分の体臭や肌の状態を気づかい、日焼け止めやシミ対策に注意するような方向に導かれている。

イメージを重視して自らの付加価値を高めるという考え方が形成され、また『金の弁護士』といったアメリカのテレビドラマの影響も受けている。ドラマが作り上げた〝エリート〟は、健康的な肌色がシャープな印象を与え、化粧水や乳液をつけた後にBBクリームを塗ることで、髭剃りの跡や肌の不調の跡が一瞬にして消える。元気な顔は自己管理能力が優れていることを示すため、自信を高めることができ、相手の好感と信頼を得ることができるのである。

もちろん、女性の職場における地位の向上も男性の外見面への注意を促している。オンライン美容関連企業であるホットペッパー・ビューティ・アカデミーの調査によると、女性が多い職場では、美容フィットネスに関心を持つ男性の割合が女性の少ない職場よりはるかに大きいことが明らかになっている。女性従業員が過半数を占めている職場では、男性従業員の六十パーセント以上がスキンケアフィットネスなどを行っているが、女性従業員の二十パーセント未満の職場では、フィットネス美容に関心を持っている男性従業員は半分未満だという。このデータは、女性の職場進出が男性の外見意識に与える影響と、人々がますます五メートル以内の視線を気にするようになっていることを実証している。

加えて、日本という周囲の空気をよむことを強調する国では、周囲の足並みについて行くことが重要である。つまり、ほとんどすべての日本人は、周囲の環境に溶け込むことが人生に必要なスキルの一つだと考えている。そのため、世間でメイクが流行し始めると、自分も遅れてはいけないという思いから、自分もやってみたいという意識が働くようになる。

では、周りの男性が化粧をすることが増えている現象について、女性はどのように考えているのだろうか。周りの若い女性たちに聞いてみると、「男性が化粧をするのも当然でしょう。女性だけに化粧を要求するのはそもそも不公平である。男性も身だしなみに気をつけるべきで、きれいで何が悪いのだろうか。醜くて汚い人と一緒にいたいと思う人はいないだろう」と話す。

今ではもはや化粧は厚化粧ではなく、自然な美しさを際立たせることが多い。男性の化粧は自分をきらびやかにするのではなく、化粧品を利用して自分のマイナス要素を目立たなくし、男性の魅力をさらに高め、それを通じて自信を高めることなのである。例えば、顔にニキビができたり、顔を剃ってうっかり傷跡ができたり、仕事で徹夜して目の下にクマができたり、酔っ払って元気がなくなったりした時、ファンデーションやBBクリームは正常な状態を回復させるのに役立つ。女性の化粧も、パウダーを塗ったり、シャープな赤い唇を強調するのではなく、ナチュラルメイクやヌードメイクが流行し、化粧で補っていくことで自らの顔を整えていくのである。

就職活動のために面接を受けている青年、取引先を開拓している中年の従業員、肌のくすみや眉毛の抜け落ちに悩む高齢者など、化粧はこれらの年齢層の男性に自信を与えるものとなっている。そのため、美容商品の対象はあらゆる年齢層の男性に広がっている。ある統計によれば、二十歳前後にファンデーションやアイライナーを買ったことがある男性は一割を超え、四十歳前後に化粧水や乳液を買ったことがある男性は二割を超えたそうである。

もちろんこのようなトレンドには、業者の企画やプッシュが不可欠である。女性化粧品市場が飽和に近い今日、各大手企業は男性市場を積極的に宣伝し、拡大させている。例えば、資生堂のブランド「UNO」はもともとヘアケアブランドだったが、ブランドの知名度を生かし、男性向けの製品も含めたシリーズ美容製品を発売し、非常に売れている。ポーラ、シャネルなどの男性用化粧品も人気を集めている。老舗化粧品の新製品が続々と登場するなか、富士フィルムは二〇一九年八月二十六日、男性用化粧品への本格的参入を発表し、すでに四つのスキンケア商品がリリースされている。

彼らはとくに、男性化粧品市場におけるアンチエイジング製品に対する需要を見込み、長年フィルムの分野で蓄積した技術経験を活用し、三十代から五十代に向けたアンチエイジング化粧品シリーズを開発した。多くの百貨店では男性用化粧品コーナーも開設されている。

なお、中国における男性化粧品市場も急速に拡大している。「メイクアップ男子」は確実に増加を続けており、二〇一九年の男性化粧品市場の売上高は百五十四億元に達したと紹介された記事を偶然見た。女性が相手を探す条件は、高収入、不動産などの経済的条件から外見重視に変わりつつあるという。日本の大手化粧品会社もすでに中国で男性用化粧水や美容クリームなどを販売している。

今、若者の美意識はどのように変化しているのだろうか。生活水準の上昇に伴い、それはますます洗練されていくに違いない。

孤独担当大臣は日本人の孤独を治すことができるだろうか？

万景路

二〇二一年四月、新型コロナウイルスの深刻な影響を受け、増大する日本社会の孤独現象に対し、菅義偉首相は「一億総活躍」担当大臣の坂本哲志氏を「孤独・孤立対策担当大臣」に任命した。その後、内閣官房の「孤独・孤立対策担当室」も正式に業務を開始した。

実は、孤独担当大臣を設置したのは日本が最初の国ではない。二〇一八年、イギリスは国内で深刻化する孤独問題に鑑み、当時の首相だったテレサ・メイが孤独担当大臣を任命したことで、イギリスが世界で初めてこのポジションを設置した国となった。当時、メイ首相は自国の孤独問題が主に医療費と経済面の二重の圧迫によるものであることを考慮し、孤独問題の解決に約二十八億七千万円の資金を投じたこともある。ところが、既に三年が過ぎたものの、イギリスの孤独問題が解決されたかどうかについては、私たちは議論しない。では、あえて日本に焦点をあてていくと、日本の孤独問題はどのようにして生まれたのだろうか。日本で孤独に悩まされているのはどのような人たちなのだろうか。彼らの孤独にはどのような具体的な所見があるのだろうか。日本の孤独問題は最終的には解決されるのだろうか。

本当のことをいえば、これは比較しなければその特徴が分からないことなのかもしれない。たとえば、中国人はほんとうに孤独感を感じている人はそれほど多くはないようだが、これは中国の伝統文化がそういう状態にさせるものかもしれない。孤独になっても、みな口をつぐんで言わないようにしている。なぜならば、言えば自分を誇示し、お高くとまっているように思われるきらいがあって、下手をすると「ひねくれている、偏屈な」というマイナスの評価を受ける可能性があるからだ。中国では、孤独と言えるのは、文人や詩人の専売特許のようなものなのである。ここから、孤独という二文字は国民の心の中で実は孤高、高雅などの言葉と似た理解を持っていることがわかる。そこで、高齢者の寡婦はたしかに孤独であるが、一般的には「一生涯孤独」「身よりのない」などと呼ばれている。

私たち中国人とは異なり、日本人にとって孤独は普遍的な現象であり、政治家や企業家にはそれがある。文人もそうであり、あらゆる年齢層の一般庶民も同様であり、言い換えれば、ほぼすべての日本人の心の中には多かれ少なかれ孤独感が存在しているといえる。

日本人がこのように普遍的な孤独感を形成しているのは、個人的にはまず彼らの宗教文化と関係があると考えている。日本は、仏教の影響を強く受けている国である。とくに仏教禅宗の「諸法従本来，常自寂滅無相」という無常観は、昔から日本人の心の中に深く根ざしており、それによって彼らは物事を見る時、観念を通して物事の内部に含まれる寂れた本質を見なければならないという思考や習慣を体現してきた。このような観念の影響を受け、時が久しくなるにつれ、そこから日本人は徐々に質素な衣服を好み、華美を好まず、家の装飾も簡素なものにし、全てがナチュラルで質素なものへと収束させていく。このような環境に長くいると、物事の質素さ、本質を愛でる習慣がつく。自ずと、物事の本質が持つ寂しさ、幽玄さ、あるいは滅亡の美学をそこから見出すようになる。これらは日本人の深層意識にある「もののあわれ」の体現ともいえる。こうして、日本人の心の奥底には形容しがたい孤独感が根付くようになっていった。この孤独意識は知らず知らずのうちに代々受け継がれてきたものであり、これこそが日本人の「孤独感」の源流ではないだろうか。日本人独特の宗教文化に対する認識によって、彼らは心の奥底に旧来より「孤独」の種を埋めたといえるだろう。

現代社会になり、孤独にも新たな解釈が生まれた。日本のシンクタンクコンサルティング会社・グローコムの岡本純子社長が指摘したように、日本社会は伝統的に「自分の問題をすべて一人で解決し、家族や社会に迷惑をかけない」ことを美徳と見なしているが、それは彼らが悩みを持っていても、人に迷惑をかけるのを恐れて人に話すことができないようにさせている。そのため、日本人は人と接する際に潜在意識の中であえて相手と距離を置く。距離感があれば日本人は安心するが、同時にお互いの不信感も増す。一般的に日本人は人と付き合う時、積極的に相手に心を開くのではなく、相手を見て行動する。相手がどれだけ心を開き、自分がそれに応じてどれだけ心の扉を開くかについては、完全に受け身である。日本人は自分の「本当」の姿を積極的に人に示すことはしない。なぜなら、日本人の話によると、相手がどう思うのかわからないし、他人に迷惑をかけたくないからだという。実は、はっきり言って、やはり最終的に自分に迷惑がかかることを恐れていると思う。このような悪循環では、日本人は自ずと友人が不足し、親友もいなくなってしまう。お互いに我慢しているため、ますます寂しくなり、自然と心の扉が閉まってしまう。深刻な者は次第に自信を失い、自分を他人や社会にはなくてもいい存在と見なし、最終的には完全に孤独に陥り、さらには「孤独死」という惨めな末路に向かってしまう。

　現代日本社会における孤独現象の発生には、もう一つの背景理由があると考える。それは「無縁社会」と「核家族」化の進展である。日本では、人と人とのつながりは「縁」で説明することができる。例えば、血縁、社縁、地縁、選択縁（共通の関心から生まれた人と人とのつながり）などがある。経済が急速に発展している時期に生まれた中高年の日本人を例にとると、彼らはよい時期に生まれたが、大学卒業後は日本経済の低迷時期と重なってしまった結果、収入が不安定になり、結婚がスムーズにいかなくなり、多くの人々の生活も流動的になってきたため、「社会縁」「地縁」「選択的縁」は非常に限られるようになっている。彼らは徐々に社会から孤立し、捨てられ、孤独に向かう。一方、「核家族」とは、一般的に祖父母と孫による三世代四世代同居の大家族から離れ、夫婦二人、または夫婦と未婚の子供からなる少人数の家族を指すが、このような核家族は同様に孤独な感情を生む土壌でもある。しかもこのような「土壌」はますます多くなり、最終的には社会的な孤独現象を形成している。

　孤独現象の発生要因はおおむねこのとおりだが、現代日本社会で孤独の悩みを抱えている人にはどのような人々がいるのだろうか。言うとびっくりするかもしれないが、厚生労働省の統計データによると、日本では児童、中高生、サラリーマンから定年退職者、高齢者まで多かれ少なかれ孤独感を抱えているそうである。

　まず、高齢者の孤独現象から話そう。犯罪社会学の専門家・土井隆義氏は、現在の高齢者、とりわけ六十五歳以上の高齢者は、第二次世界大戦後の飢饉の時代、そして経済の急速な発展の時期を経験している。そのため、日本経済の飛躍に一生を捧げ、社会に奉仕し続ける意欲も健在であり、彼ら自身が仕事の舞台を引退しても、この血液に溶けこんだプライドは色あせず、社会に奉仕し続ける意欲も残っていると分析する。

しかし、現実は輝かしくはない。経済が長期的に低迷し、若者の仕事でさえ安定していないのに、どこに彼らの武器を発揮できる場があるのだろうか。そして自分が歳をとるにつれて、日進月歩の社会変化に直面する。こうして、これらの高齢者は明らかに心の奥底から自分が時代の発展についていけないことを感じ始め、「役立たずの人」になってしまう。実際、この感覚は、多くの日本の高齢者にとって常に避けて通ることのできない呪縛のようなものとなっている。また、このような高齢者の多くは配偶者に先立たれ、子供がそばにいない、経済的に困窮しているなどの客観的な要素が折り重なり、徐々に孤独、孤立状態に陥り始めている。結局、人に迷惑をかけたくないなどの理由で、彼らの一部は孤独の中で人に知られないままに亡くなり、かつて日本国内外のメディアの注目を集めた「孤独死」現象の一因にもなっている。中には死後数週間、数ヶ月経っても発見されない人もおり、このような状況はとても堪えられないものがある……。

さらに、これから高齢者に向かう人たちも孤独の厄を逃れることはできない。この層の人々は一九六〇年代に生まれ、年齢は五十歳前後であり、孤独の主力軍といえる。彼らは高度経済成長期に成長したが、日本経済の低迷期も経験しているため、彼らの心の中にはすでに一種の落差感が形成されている。しかも当時、経済の急速な発展の恩恵にあずかった利益のおかげで、彼らの待遇や今の地位は低くない。彼らは基本的にはすでに企業の中堅層であるが、一部の企業はバブル経済後に長期的な経営不振に陥り、会社の業績が振るわないため、これら高待遇の中堅層の人々は、この時、企業にとって真っ先に削減すべき対象となった。これらの人々の多くは、企業のリストラや転職によって収入が不安定になるだけでなく、「社縁」「地縁」「選択縁」もますます薄くなっている、そして彼らの「縁故」(結婚、家庭)でさえ「不安定な状態」になり、その結果、しだいに社会から孤立し、孤独な大軍の一員となっている。

若者の孤独現象も同様に無視できない。厚生労働省の『自殺対策白書』によると、二〇二〇年度の十五歳から三十九歳の年齢層の死因の第一位は自殺で、青少年の自殺者数は過去最高となった。これに対し、日本の厚生労働省は高校生の年齢層から増加する自殺を防止、阻止するための措置を取るよう社会各界に呼びかけている。日本の世論では、若い男女、さらにここ数ヶ月で高校生の自殺者数が増えている理由として、新型コロナウイルスの長期化に伴い、学生が学校に正常に登校できず、会社員も正常に出勤できない現状によって徐々に孤独感が生み出されていることが挙げられている。このような日々が長くなるにつれて、孤独感が日々増大し、とくに日本では一人暮らしの若者が多く、次第に将来がないと感じる人も増えてきている。また、日本には昔から生死に無関心で、自殺者を大目に見る伝統がある。そのため、心理的な受容能力がもともと脆弱な若者は、解放を求めて自分の命を終えることを選ぶ傾向がある。これは、たしかに自然な成り行きでもあるが。

『自殺対策白書』によると、二〇二〇年の小中学生の自殺者数は四百七十九人であり、二〇一九年の三百三十九人より百四十人多かった。調査によると、小中学生の自殺原因トップ三は、一、学業不振、二、進学方面の悩み、三、両親との不仲、である。前述したように、他人に迷惑をかけない慣習やさまざまなしきたりなどの影響を受け、大人たちは普段無口で無表情なのが日本人のトレードマークになっているが、これは自ずと子供にも影響を与えている。本来ならば、自由奔放に動き回り、キラキラと輝くべき時にあるはずなのに、である。

大人の影響と礼儀作法に縛られて口をつぐんでしまうことを余儀なくされ、これらはみな子供たちが幼い頃から孤独な感情を生む原因となってきた。ところが、これらに加え、新型コロナウイルスの影響により気軽に話せるような相談相手が不足しているなどの理由で、彼らの一部は最後に孤独に耐えられず自殺に向かってしまう……。

二〇二〇年にさらに顕著になった自殺現象のひとつは、自殺者に占める女性の増加である。日本の警察及び厚生労働省のデータによると、二〇二〇年の新型コロナの影響により、日本の自殺者数は二〇〇九年以来十一年ぶりに上昇し、二万九百十九人（前年比で七百五十人増加）に達した。そのなかで、女性の自殺者数を日本政府は深刻に受け止めたが、きっかけはコロナ禍の二〇二〇年十月のデータで、同月の日本では八百八十人の女性が自殺し、前年同月比七十パーセント増加したという結果だった。これに対し、日本のシンクタンクの研究者は、現代日本の働く女性は一般的に独身で、長く職場で奮闘しているが、その大都市における典型的な生活は、朝から晩まで働き、仕事が終わった後はごく少数の同僚や友人と、あるいは自分一人で食事をしたり飲んだりして、一人で賃貸の単身アパートに帰ってくることだと指摘している。彼女たちの多くは日常の買い物は家から一番近いコンビニに集中しており、職場以外ではほとんど誰とも交流していない。職場の女性は伝統的な日本人女性より自立しているように見えるが、実際には多くの日本人女性の地位は非常に不安定であり、新型コロナウイルスの猛威と蔓延により、多くの企業が倒産し、女性従業員は男性の同僚よりもはるかに大きな衝撃を受けている。そのため、彼女たちの生活の源ひいては交際範囲はほぼ完全に崩壊し、孤独の中で自滅に向かっている。また、自殺は結婚したキャリアウーマンの中にも少なくなく、彼女たちの中にはコロナ禍で仕事を失い、家庭に復帰した後、夫や子供の世話をしたり、きつい家事労働をしたりする人も多い。同時に、彼女たちは同僚や友人と対面で交流する機会を失い、そのすべてが彼女たちのプレッシャーを無限に増大させた。先日、ニュースで三十代の女性が、自分が新型コロナに感染したことを自責し、ウイルスを家族にうつしてしまったのではないかと心配するなど、ストレスが一日一日と重くなった結果、孤独に陥り、ついに解消できずに自殺したと報じられていた。そして、新型コロナウイルスの長期化はもう一つの副作用をもたらしている。それは「家庭内暴力」行為の増加であり、被害女性は重荷に耐えられず、果てしない孤独に陥っている。そして、自殺を選ぶことで生きることへのプレッシャーから解放される人も自然と増えている……。

もちろん、日本の孤独問題は表面的には経済などの要素が存在するが、実は深いところでは文化的な要素が関係していることも多い。伝統文化によって蓄積されたさまざまな風習、ルールと現代社会特有のさまざまな現象が結合し、日本の孤独な社会の現実を作り出している。孤独は日本では主に文化現象といえるが、それはイギリスの孤独現象とは大きな違いがある。そのため、この問題を解決するためには、文化の根源から着手することが重要な手段の一つであるが、文化の根源上の問題を解決することは、実際は口でいうほど容易なことではない。

例えば、日本人の「他人に迷惑をかけない」文化的慣習、これは日本人の最も基本的な処世術であり、日本の礼儀文化の基盤のひとつでもあるともいえるが、このような日本人の本質に根ざした文化的慣習をどうやって簡単に変えることができるのだろうか。

この一例だけでも、孤独問題の解決に向けて茨の道をみているかのようで、他にも事柄が複雑に絡み合って孤独をもたらす現実的な問題が存在するのはいうまでもない。孤独・孤立対策担当大臣の坂本氏は記者の取材に対し、「孤独担当大臣として、個人的に孤独をどう思っていますか?」と尋ねられた際、選挙への出馬と落選が決まった時にとりわけ孤独を感じたと回答した。このように、孤独・孤立対策担当大臣も孤独を口にするのだから、ましてや一般の人々が口に出せない孤独を感じていることは言うまでもない。経済協力開発機構(OECD)が孤独問題について二十一ヶ国を対象にアンケート調査を行ったところ、孤独感を持つ日本人男性の割合が二十一ヶ国のトップ、日本人女性は二十一ヶ国の二位(一位はメキシコ)となっており、これは日本の孤独問題の深刻さや孤独問題の解決の難しさを伝えるには十分ではないだろうか。

小池百合子氏の愛犬と新型コロナ時代の「ペットロス症候群」

張　石

二〇二一年六月二十三日、東京五輪開幕まで一ヶ月という節目に、小池百合子都知事（六十八歳）が過労で入院しているという、驚くようなニュースが飛び込んできた！　ニュースが伝わると、都庁内外や日本社会に大きな波紋が広がった。小池知事は新型コロナウイルス感染で深刻な被害を受けている東京都の大黒柱であるだけでなく、東京五輪やパラリンピックの主役でもあるため、この時点で欠席することはできない。

小池氏の入院は、たしかに過労が関係している。しかしながら、愛犬「総ちゃん」を失ったこともあり、心理的に大きなショックを受けているとの報道も多い。

“ワーカホリック”小池氏と彼女の愛犬

もともと都知事はそれほど大変な職責ではなかった。ここ数代の東京都知事をみると、石原慎太郎氏

（一九九四年四月〜二〇一二年十月）は週に一、二回出勤してそれ以外はのんびり過ごし、猪瀬直樹氏（二〇一二年十二月〜二〇一三年十二月）は週に三日ほど出勤し、週の約半分を仕事にあてていた。毎日出勤すると宣言した舛添要一氏（二〇一四年二月〜二〇一六年六月）は週五日出勤だったが、小池知事が直面しているのは、新型コロナの流行、国際オリンピック委員会（ＩＣＵ）と日本政府の無茶ぶり、そして東京五輪とパラリンピックという厳しい局面である。

二〇二〇年春に新型コロナウイルスが蔓延して以来、土曜日を除き、小池知事は基本的に毎日仕事を続けている。小池知事の六月の日程を見ると、三日（テレワーク）、五日、十二日、二十日を除いてオフィスに出向いている。また、彼女はオフィスに行くだけでなく、家にいる時も仕事や関係者と連絡をとることが多く、「ワーカホリック」と呼ばれ、徹夜で仕事をすることもある。

しかしながら、小池氏には別の悲しみが訪れていると複数のメディアが報じている。それは、小池氏は二十年近くヨークシャー犬「総ちゃん」を飼っていたが、その愛犬が六月に死去したことである。

小池氏と小泉純一郎元首相の関係はかなり近しいものだったらしい。二〇〇三年、小池氏が初めて大臣になったのは、小泉元首相が第一次小泉内閣と第二次小泉改造内閣で環境大臣に抜擢したためであったともいわれている。当時、小池氏は五十歳を過ぎたばかりで、もともときれいで、その上おしゃれで着こなしが上手であり、いわゆる「紅一点」とでもいえるほど、とても美しく目を引く存在だった。小池氏は第三次小泉改造内閣まで環境相を務め、二〇〇六年には安倍内閣の防衛相に就任した。

小池氏はあちこちで闘うことができる女性である。大臣から首都東京の知事になったのは小泉氏のおかげで、かつて小泉氏と親密な関係にあり、独身の彼を気遣っていたそうである。小池氏は、心のこもった美味しいお弁当を手作りし、首相官邸まで行って小泉氏に届けたとも伝えられている。二人はもう少しで結婚するところだったともいう。小泉氏の姉はかつて、小泉氏が小池氏と結婚すればいいのにとまで言っていたそうである。だが、いったい何が理由でそうならなかったのか？　それは知る由もない。

小泉氏が彼女に贈った子犬「総ちゃん」を、小池氏は細心の注意を払って見守ってきた。総ちゃんが傍にいることも小池氏に大きな安らぎを与えた。ヨークシャー犬の平均寿命は十五歳前後だが、総ちゃんはすでに十八歳近く、ここにも小池氏の細心の配慮と寵愛が見てとれる。

小池氏は「毎朝、挨拶に来ますからね。だいぶ前ですけど、通販でそうちゃんがベッドやソファに駆け上がるためのスロープを三台、買いました。老犬になると、高さのある場所に上がるのもつらいのでね。そうちゃんはそれをタタタタッて駆け上がって、毎朝、ポポポーンとベッドに乗って、起こしに来るんですよ」と語っていた。（「小池知事襲った〝ペットロス〟…本誌に語っていた愛犬「そうちゃん」への思い」、『FLASH』六月二十四日Web版）

小池氏は二〇〇三年に環境相として入閣以来、総理大臣の「総」の字を愛犬に名づけてきた。小泉氏への敬愛を表現する一方で、日本初の女性総理になりたいという野心も覗かせている。

愛犬の総ちゃんには二〇二一年六月まで付き添っていた。小池知事の母親は二〇一三年九月に癌で死去し、自宅で総ちゃんとともに母親の死を見送った。小池氏は一刻を争う仕事に追われてきたため、母親が生きている間、母親との時間を割くことができなかったが、その時、総ちゃんはまさにいつも年老いた母親にとって最高の相棒であり、小池知事にとっては、総ちゃんはまるで娘のようであった。

小池氏の総ちゃんへの溺愛も有名で、二〇一九年九月三十日には公益財団法人東京都獣医師会から

「表彰状」（賞状）が贈られたが、これは総ちゃんへの愛情によって表彰されたものである。

表彰状には以下のように書かれている。

表　彰　状

小池百合子殿
ソウちゃん（十六歳）

あなたは永年にわたり適正飼養され、家族の一員として多くの愛情を注がれてきました
あなたの動物愛護の精神を称えるとともに、ソウちゃんの長寿を祝い表彰いたします

令和元年九月三十日

公益財団法人 東京都獣医師会　会長　村中高朗

表彰状を受け取ったあと、小池氏はとても嬉しい気持ちで、二〇一九年十一月二十四日のツイッターに「我が家のアイドルも十一月で十七歳になりました。これぞＣｈｏｊｕ！　長寿犬を育てたとして表彰状をいただきました。ソウちゃんに感謝状を出したいくらいです！　母の看取りの手伝いもしてくれたし」と綴っている。

総ちゃんが亡くなった後、小池氏はごく親しいスタッフ数人だけに「総ちゃん」の死を伝えた。彼らは彼女がこれほど悲しんでいるのを見たことがない。小池氏の家には、昼間はお手伝いさんや事務所の人がいたが、夜になると、彼女は総ちゃんとただひたすら「互いに寄り添って生きて」いた。

小池氏は強い女性だったが、晩年の「総ちゃん」は腫瘍を患ったため、総ちゃんの死は彼女に大きな

ショックを与えたことは疑うまでもないだろう。

日本の「ペットロス症候群」

日本の医学界には「ペットロス症候群」と呼ばれる症状があり、小池氏がこれほどまで悲しんでいることどの程度関係があるのかは分からないが、日本ではこの症状が広く存在していることはたしかである。

北里大学獣医学部の木村祐哉教授は、ペットを失った後の深刻な悲嘆に陥る反応が「ペットロス症候群」と称されることがあると指摘する。「ペットロス症候群」という言葉は、医学的には「ペットを失ったことによる精神的・身体的不快感」と定義することができるが、この用語の使用については社会の認識上賛否が分かれており、この用語はこの症状の認知度を社会的に高めることができると考えている人もいれば、この状態はそのような単純な疾患名と同列に置いてしまうべきではないと考えている人もいる。また、マスメディアによるこの用語の使用には差別目的が含まれていると考えている人もいる。表現のメリットとデメリットを分析するためには、まず「ペットロス症候群」という用語の影響を理解する必要がある。

木村教授が率いるチームの研究調査によると、ペットを失ったことによって深刻な生理的・心理上の症状が二ヶ月以上続くと、医師の介入が必要になる可能性が高いという。東京都と愛知県の動物火葬場で行ったメンタルヘルスアンケート（ＧＨＱ28）によるユーザー追跡調査の結果、ペットの死後、三十七人中二十二人（五十九・五パーセント）、一ヶ月後には三十人中十七人（五十六・七パーセント）、四ヶ月後には二十七人中十一人（四十・七パーセント）がメンタルヘルスに影響する障害リスクを抱えているという調査結果が示されている。

この症候群では、うつ、疲労、虚脱、ペットの声やイメージに関する一過性の幻覚幻聴などの症状がよく見られる。

ペットを飼っていない人からすれば、「たかがペットでしょう？　もう一匹飼えばいいんじゃない？」と思うだろう。

しかし、状況はそう単純なことではない。ペットは人にとって、とりわけ孤独な人にとっては、何物にも代えがたい、かけがえのない安らぎの役割を持っており、ペットは言葉こそ話せないが、人よりも飼い主の気持ちを理解できることがある。

私が日本に来たばかりの頃の友人が家で猫を飼っていたのを覚えている。この猫はまるで友人宅の女主人の影のようで、彼女とは切っても切り離せなかった。女主人が畑に野菜などを取りに行くと、猫もその後に付いていった。それからその猫は歳をとりすぎて、毎日寝るだけになった。ある日行方不明になり、女主人が遺体を見つけると、猫はひっそりとした姿で死んでいたのだった。ひょっとしたら飼い主が悲しむのを恐れて、ひっそりと消える方法を選んだのかもしれないが、これはまさに生死を超えた情の深さを物語っている。

その飼い主は深く悲しみ、私は彼女に「もう一匹飼えばいいじゃないの」と勧めたが、彼女は目いっぱいの涙を拭きながら「いらない」と言った。

その後、奇跡が起こり、どこからか子猫がやってきた。子猫はいつも友人の家の前にうずくまっているようになり、友人の家は猫に餌をやり始めた。すると、なんと昔の猫のように、毎日、女主人と一緒に畑に付いて行くようになった。夕日が傾くころ、鍬を担いだ農婦の後ろに小さな三毛猫がついてくる光景はとても感動的なものである。

友人宅の人は、この猫は昔の猫の孫か、「生まれ変わり」かもしれないと笑いながら言っていた。彼らも猫を可愛がっているが、猫は友人宅の正式な「飼い猫」にはならず、その「待遇」もずっと玄関にうずくまっている「お客さん」なのである。ここから、亡くなった猫は他の猫では決して代替できない唯一無二のかけがえのない存在であり、それはこの家族にとって永遠の愛と痛みであることがわかる。

ある友人によると、彼女の友人は犬を二匹飼っていて、一匹はとてもおとなしく、「お姉さん」で「優しくつつましい」が、もう一匹は「妹」で、性格があまりよくなく、もし飼い主が「姉」に少しでもよくすれば、「妹」は嫉妬して癇癪を起こしてしまうという。

ところがある日飼い主が病気になり、寝たきりになった。すると、二匹とも心配な様子で、性格の悪い「妹」も「いい子」になり、二匹の犬は一緒に飼い主の病気を心配し、顔を見合わせ、気がかりでじっと落ち着いていられない様子であった。

その後、飼い主の病気が全快したとわかると、二匹の犬は安心して歓声を上げてジャンプした。安心して眠ることができなかった彼らは爆睡して寝不足を補い始め、一家は安堵し、和気あいあいとしていた。

このように、ペットは言葉こそ話せないが、時には人よりも飼い主の心を知ることができる。飼い主とペットが長年にわたってともに暮らすことは、彼らの間で一種の何者にも代えがたい互いに寄り添って生きる感覚を生み出し、言葉では言い表せないほどの一種の親密な繋がりを生み出す。そして、ペットは飼い主に対して人が通常備えていない寛容さがあり、たとえ飼い主が偶然ペットを傷つけたとしても、それがわざとであるかどうかを問わず、ペットたちは決して恨まず、終始一貫して心から飼い主を愛している。ペットたちは心のパートナーとしてあらゆる長所を持っており、同時に人の裏切り、欺瞞、目には目を歯には歯をといった報復や、家出といった〝悪い行い〟はせず、彼らは飼い主の守りに対し、永遠に何の利害もない深い愛情を持ち続けている。ペットたちが家を離れた飼い主をずっと待っている姿は、忠犬ハチ公のように命の果てまで続いている…。

こうしてみると、「ペットロス症候群」の存在も完全に理解でき、避けられないものであることがわかる。

ペットに対する深い理解と愛情もあってか、二〇一六年の東京都知事選における小池氏の選挙公約には、「ペット殺処分」をゼロにするというものがあった。

新型コロナ時代におけるペットと人との関係

二〇二〇年十二月二十三日、日本ペットフード協会（東京）は、二〇二〇年の日本全国の犬猫飼育に関する調査結果（推定値）を公表し、一年間に新たに飼育された犬猫の総数が約九十五万匹で、前年同期比で約十五パーセント増加したことが明らかになった。同協会は「コロナ禍の影響で、ペットと一緒に生活しながら癒しを求める傾向がある」と分析している。

調査によると、二〇二〇年に新たに飼育された猫は約四十八万匹（前年比十六パーセント増）、犬は約四十六万匹（前年比十四パーセント増）であった。

新型コロナ時代には、人と人との接触はますます少なくなり、長期におよぶマスク生活と人と人との付き合いの隔絶は、人々を「三密」から離脱させ、「ソーシャルディスタンス」を追求させている。そのため、歓談には警戒感が満ち、会食にはリスクが伴う。このように、新型コロナは世界を変え、人と人との関係を変えている。「緊急事態宣言」もワクチンも、新型コロナ感染抑制には限界がある。新型コロナ時代の特徴は、距離の拡大、感情の疎遠、人々の間にもたらす先行き不透明感、マスクをしているがゆえの言葉によるコミュニケーションの封鎖であり、孤独感からはただ無気力な溜息しか出てこない。

上の数字を見ると、人々はますますペットに自己治癒を求める傾向にあり、多くは徐々に「鶏や犬の鳴き声が聞こえてきても、老いて死ぬまで往来しない」という方向へと変化しつつあることがうかがえる。

ペットと一緒の生活が増えることは、決してすべて消極的であるとは限らない。ペットを飼えば、ペットも私たちに多くのこと、例えば、忠誠、寛容、死ぬまで変わらない友情、純情で何の利害関係もない心づかいを教えてくれる。

しかしながら、人と人との関係が長期にわたり疎遠になることは、社会心理的に孤独と断裂をもたらし、ペットに対する過度な愛着も、ペットよりはるかに寿命が長い人間に「ペットロス症候群」を発症させることもある。これは新型コロナの流行と直接関係ないことのように見えるかもしれないが、ますます深刻な社会問題に変容していく可能性があるだろう。

第三章

規則は日本のコミュニケーションのすべてではない

日本人には高価なプレゼントをしてはいけない、不安にさせるから

万景路

日本での生活が長くなって、日本人が一年中贈り物をしていることに気が付いた。個人の場合、誕生、七五三（男の子は三歳と五歳、女の子は三歳と七歳になった年にするお祝い）、入学、成人、就職、結婚、栄転、病気、死亡と生涯にわたり贈り物をしている。社会集団として見ると、お中元、クリスマス、お歳暮（正月前に、目上の人やお世話になっている人に贈り物をすること）などがある。

よく見ると、現代の日本人は、毎年、毎月、贈り物をしている。贈り物の回数が重なれば、習わし、約束事などが自然と生じる。さらに、贈る相手、理由により、包装の仕方、言葉遣い、時期などいろいろな決まりが加わる。こうして、日本の「贈答文化」が成立したのだ。

贈答文化

古代の農耕社会において、日本にはすでにたくさん採れた農作物や山菜を分け合う習慣があった。日

本のマナーの専門家は、日本には古代から、相互に「贈答しあう」関係があって、これが日本の贈答文化の起源であるとしている。平安時代になると、中国から伝わった香料や染料といった唐物(からもの)が貴族の間の贈答品になった。武家政治の時代の贈答品は、唐物がお茶、緞子、書画などの高級品に昇格した。室町幕府政所執事である伊勢貞親が書いた『伊勢貞親教訓』の中の礼式に関する部分には、「贈り物をされたら、返礼をしなければならない」と明記されている。貞親の礼式に関する言葉は、後の贈答文化の確立に大きな影響を与えた。このことから、日本の「贈答」はその頃から高級で上等なものになり、しだいに文化になっていったことがわかる。江戸時代後期から明治時代にかけて、贈答は儀礼の一つとして庶民にまで普及し、現在のこまごまとした贈答文化になった。

日本人が、「贈り物文化」でなく「贈答文化」と呼ぶのは、日本人は互いに贈りあうことを大切にしているからである。私たちにとっては、「贈る」ことが大事で、婚礼や葬式の場合、その場で返礼する必要もない。ヨーロッパでは、地域によって新郎新婦が「返礼リスト」を客に渡し、客はリストから欲しいものを選んでサインし、新郎新婦が後日それを送るという習慣があるところもある。しかし、その場で返礼するわけではない。日本ではそうではなく、結婚式でも葬式でも、その場でお返しをしなければならない。これが、「贈答文化」と呼ばれる理由である。「贈る」「返す」の繰り返しが、日本の「贈答文化」を形成してきた。

贈られるだけで返礼をしないのは、日本人にとってなんとも居心地の悪いことだ。ヨーロッパのバレンタイン(二月十四日)が日本に入ってきたとき、日本では、興奮と不安が交錯した。男性は喜んだものの、女性にすぐにプレゼントのお返しができないということで悩んだ。自分が好きな女性がチョコレートをくれるかどうかわからないから、ポケットにお返しのチョコレートを忍ばせておくわけにもいかない。もし誰からもチョコレートをもらえなかったら、気遣いもお金も無駄になってしまう。日本企業がホワイトデー（三月十四日）を創りだしたことで、世間の男性はやっと安心した。「ホワイトデーは日本でできた」と日本人は得意がるが、それは、企業が、バレンタインの「贈り物」だけで「お返しをしない」気まずさを利用して、もうけるために編み出した方法に過ぎない。

贈答には形式があり、品物にはこだわりがある

日本人の贈答は、大きく三つに分けられる。まず、結婚、出産など個人の贈答である。次に、お中元、年越し、入学、栄転など、家庭単位の贈答だ。三つ目は、会社が顧客に新製品のサンプルや記念品を贈るなど、会社単位の贈答である。三つ目は、表面的に「贈る」だけに見えるが、見えない形で「返礼」を求めている。サンプルを受け取ってそれがよければ、長期でそれを購入してもらえるかもしれない。そうなれば、この返礼により、企業は大もうけできるのである。それで思い出したことがある。セブン-イレブンがアプリをダウンロードすれば、おにぎりを一つ無料で進呈するというキャンペーンを始めたところ、おにぎり目当てに、一人のおじさんがアプリをダウンロードし、不正アクセスに遭って、四十万円を抜き取られたのである。この「返礼」はとんでもなかった。コンビニ側には儲けが無いばかりか、おじさんに四十万円の賠償をしなければならなくなったのだ。

日本人が贈り物をするとき、現金ならともかく、品物を贈るとなると、いろいろなことを考える。例えば、大学入学祝いの場合、腕時計を贈ると喜ばれる。時計の発音が「登慶」「登恵」と、非常に縁起のいい漢字を当てることができるからである。また、病院にお見舞いに行くときは、生花や果物がよいとされる。ただ、生花の場合、病室に花瓶がない場合もあるから、花瓶も一緒に持っていくのがよい。日本で贈り物をする場合、いろいろなことを考えなければならない。そうでなければ笑われるか、ひどい場合は友情にひびが入ったりしてしまう。他には、日本人は包装を大事にしている。これは、見ればすぐにわかる。贈るときに、自分で心を込めて包めば、効果はさらに高まる。ただし、包装にもいろいろやり方があって、複雑なので、今の若い人にはほぼできない。

贈答には禁忌があり、タイミングを見る必要がある

日本人の贈り物の決まりは、煩雑で多く、注意しないと大変な間違いを犯してしまう。冠婚葬祭の場合、基本的に現金を贈るが、ここでもいろいろな決まりがある。現金を入れる封筒の水引（封筒を縛る紙ひも）は、慶事の場合は紅白か金銀で、弔事の場合は、白と黒か、薄い藍色である。また、用途により、水引の結び方も異なっている。お金の入れ方も、場合によって違う。紙幣の折り方、入れる向きなど厳格な決まりがある。例えば、葬式の場合、紙幣の顔がある表の面を袋の下に来るようにし、裏向きにして入れる。こういうことを間違うと、非常に失礼なことになる。

他にも、現金を贈る場合は、偶数、奇数に気を付けないといけない。日本人は、昔から、三、五、七といった奇数を縁起のいい数字だとしている。ただし「九」は例外である。「九」の音が「苦（く）」を連想させるため、嫌われているのだ。

なぜ日本人が奇数を好むのか。それは、奇数は「割り切れない」ため、関係が永遠に続くと考えるのだ。偶数は、割り切れるだけでなく、「割る」という発音が「別れる」に似ている。なるほど、だから偶数は好まれない。中でも「四」は「死」と発音が同じである。

結婚式や葬式に出るときの服装の禁忌もたくさんある。例えば、喪服。長い伝統の中で、喪服に関しては、細かい規則ができあがっている。喪服は、黒か、薄墨色が基本になる。和服であれば、喪主とその配偶者に限り白色を着てもよい。女性は真珠のネックレスをしてもいいが、白が基本で、二連するのは不可である。なぜなら、「悲しみが再びやってくる」ということに通じ不吉だからである。バッグに金属のファスナーがついているのもいけない。したがって、布製の黒のバッグを持つことが多い。葬式は、ほとんど仏式で行われるので、革製のカバンも不可である。「革」は「殺生」を連想させるからだ。靴ももちろん黒色で、靴紐のないものがよく、ネクタイは黒色でなければならない。ただし、学生や幼稚園児は制服を着てもよい。警察官や自衛隊員も制服でよいが、バッチなどは外しておく。とにかく決まりごとが多いのだ。私は、日本人の葬式をよく見かけるが、まるで厳粛な黒い制服大会のようだ。

先ほど、お見舞いを例に挙げたが、お見舞いは小さなことのようでも、タブーがいろいろある。例えば、入院したばかりや手術したばかりの病人に対しては、当人の身体のことを考えて、入院や手術の一週間ばかり後を目途にお見舞いに行く。花を持っていくときには、菊や彼岸花は選ばない。菊は葬儀の花であるし、彼岸花は美しいけれどあの世に咲く花だからである。

贈答の心は絆である

日本人が贈り物をするのは、何かの目的のためというより、心を届けるためである。日本人は誰に対しても、目的があろうとなかろうと、気持ちを表そうとする。お菓子一つであろうが、ハンカチ一枚であろうが、共感したり、成功の喜びを共有したり、感謝やこれからもよろしくという思いが伝わることが大切なのである。しかし、このようにすると、どうしても形式に流れてしまう。例えば、お中元やお歳暮では、親や年長者に贈り物をするが、今の日本の若い人の多くは、これを形式的であると考え、そこに含まれる先祖代々伝わってきた育ての恩を忘れたり、なぜお中元やお歳暮をしなければいけないのか、知らなかったりもする。

これを問題と捉えている有識者もいる。例えば「日本贈答文化協会」では、宣伝、初志を忘れさせない教育、贈答文化の意味の理解に力を入れている。そうして、返礼するときは、贈り物の値段に関わらず、心を込めることが大切だと教えている。そうすることで相手に誠意が伝わり、それによって、双方がより親密で、仲良くなれるのだ。このように見ると、贈り物をする行為は、相手に自分をよく思わせるためのもので、日本人が大好きな「絆」と潜在意識の中で結び付いているように思われる。そして、この贈答により明らかにされる家族、友人との断ち切れない関係や、気持ちがあるからこそ、人と人との間に、絆が生まれ、義理が大切に守られるのである。

贈答にはお金を使い、気まずさは頭で解決する

最後に、日本での贈り物の金額について話そうと思う。結婚式に参列する場合は、奇数が基準になる。一般的に、結婚式に出る場合、新郎新婦からの引き出物のことも考えて、だいたい一人三万円ぐらいがよいとされる。夫婦で参列する場合は、五万円である。そして、お返しである引き出物は、三千円から

五千円くらいまでで、お菓子や日用品の詰め合わせであることが多い。栄転や進学のお祝いの場合は、一万円が普通である。引っ越しの際、近所に贈り物を配るのは、主に挨拶のためで、その際手ぶらで行くのは気まずいので、引っ越しの際迷惑をかけたお詫びとして、タオルや石けんなどを持っていくのである。これも昔から伝わる日本人の知恵で、引っ越しの際には、向こう三軒両隣に贈り物をする。これは、一戸建ての場合で、集合住宅の場合は、上下階と両隣、もしくは同じ階の人にタオルを持って行けば、「よろしくお願いします」という挨拶になる。

筆者は、引っ越しで大変戸惑った経験がある。それは初めての引っ越しの直後のことで、自治会長が挨拶にやってきて、「自治会からの気持ちです」と言って二十四缶入った缶コーヒーセットを差し出したのだ。私は事前に調べていたのだが、このマンションは五百戸ある。一戸あたりコーヒー一缶をお返しするとしても全部で五百缶だから、約六万円の出費になってしまう。引っ越してきたばかりの私にはかなりショックだった。このときに、日本人の贈答のうまさを体感した。配ったタオルが功を奏したようで、向かいに住む日本人の奥さんが、熱心にアドバイスをしてくれたのだ。「一軒に一缶お返ししていたら『赤字』になるでしょ。箱入りのお菓子を一つ二つ買って、集会室に置いておけばいいの。『来たばかりでよくわかりませんが、よろしくお願いします』と書いておけば大丈夫」。これで、万事オッケー。このアドバイスのおかげで、お金も無駄遣いせずにすみ、無事難関を乗り越えることができた。ナイス！

日本人の同僚の家でご馳走になったことがある。ご馳走になったのは、鍋料理で、簡単で、にぎやかである。私は中国人として、ごちそうになりっぱなしではいけないと思い、豪華な料理を用意して家に招いた。同僚は、ずっと恐縮して、こんなにご馳走をしてもらっては申し訳ない、買い出し、料理、後片付けと、たくさん時間を使わせてしまってごめんなさい、と見るからに居心地が悪そうであった。それ以後、まるで私に借りがあるかのような様子で、私とその同僚との関係は、どこかギクシャクしている。

ここから言えることは、日本人に対して、軽率に値の張る贈り物をしてはいけないということだ。そんなことをすると、何か目論んでいるのではないかと、逆に日本人を不安な気持ちにさせてしまう。運がよければ、品物は返されて、表面的には関係は従来どおりに続く。運が悪ければ、縄を見ても蛇と間違えて逃げるように、避けられてしまうのである。

日本で暮らして二十年、私が学んだ日本の常識

唐辛子

二〇一八年秋、大阪は二十五年に一度の超大型台風に見舞われた。台風が過ぎ去ってすぐの午後、家のベルが鳴り、出てみると、隣家の若いご夫婦が立っていて、深々と頭を下げる。聞くと、台風でベランダが吹き飛ばされて、我が家の庭に落ちてきたということで、「ご迷惑をおかけして、申し訳ありません」と言う。さらに、すぐに業者に連絡して、できるだけ早く撤去するとのこと。翌日と、翌々日、隣家が頼んだ業者が我が家の庭を出たり入ったりして、吹き飛ばされた木製のベランダの残骸を撤去していった。

その数日後の早朝、また隣の人が我が家のベルを鳴らした。今度は、「国産林檎のバターサブレ」を持っている。ベランダの残骸は撤去したけれど、何度も我が家の庭を出入りして、迷惑をかけて申し訳ない、だから、お詫びのしるしに受け取ってほしい、ということであった。

「ご迷惑をおかけしました、申し訳ありません、ありがとうございます」と門の前で隣人が言うのを

聞きながら、私は振り返って我が家の庭を見てみた。八月に半月ちょっと帰国していたので、庭は雑草が生い茂っていた。隣人は、ベランダの残骸を撤去しただけでなく、ついでに大量の雑草を抜いていってくれたのである。「ありがとう」を言わなければならないのは、実はこちらである。

二〇一八年、私は本を一冊翻訳した。その中にたくさん俳句があったため、俳句がご専門の先生に教えを請おうと思い、大久保先生に思い至った。大久保先生は、慶應義塾の歴史の先生で、趣味が広く、知識が豊富な方である。大久保先生に手紙でお願いすることにした。手紙には、翻訳の仕事の中に、よくわからない俳句があるので、教えを請いたい旨を書いた。そして、もし大久保先生が引き受けてくださったら、答えてもらいやすいように、大久保先生に日本語の原書を送るつもりでいた。大久保先生からは、すぐに返信があり、「同じ本を買いました。いつ質問してもらっても大丈夫です」とあった。

二〇一八年十二月八日で、私の日本での生活は丸二十年になった。この二十年間を通じて私が学んだのは、人付き合いにおける「日本の常識」である。人との付き合いの中で、日本人は、第一に人に迷惑をかけない、第二に思いやり――他人の身になって考えることを大切にしている。隣人も大久保先生も、みな思いやりの心から動いている。そして「他人に迷惑をかけない」という日本の常識は、「思いやり」の心の上に成り立っている。

「思いやり」は中国語の辞書には「同情心」と訳されている。しかし、中国語の「同情心」は、本来の意味が失われて、「不幸な人を憐れむ」や「強者の弱者に対する態度」というように変化してしまっている。けれども「同情」の本来の意味は、「我が心はあなたの心のごとし」という共感のことで、相手の立場に立って物事を見る、という意味だったのではないか。相手の立場でものを見れば、相手と心が通じ合ったり、同じ気持ちになったりするから「同情」つまり共感という意味になる。

　このような知識は、私が娘と一緒に学んだものだ。娘は小学二年生のときに、日記を書き始めた。娘は、私が買ってやった少年少女版『菜根譚』を読み、ひらがなで次のように書いたのである。

八月十一日　火曜　くもり　ときどき　はれ
わたしはしょうかいすることばは「思いやり」です！
ことばにとって一番だいじと、本で書いてありました。
このことばは「じょ」ともよぶそうです。
かん字では「恕」と書くそうです。
「如」といういみは、にている、おなじようだ、です。
「心」は、こころなので、「にているこころ」だと思います。
だから、みんな！　「思いやり」をわすれないでね！
もちろん、「恕」も絶対わすれないでね！

子どもの日記から、私は『菜根譚』に興味を持ち、六十ページを開くと、大きな字で二行、「恕」の字について解説があった。

「恕」ということばは、「思いやり」という意味。

人として一番大切なものは、恕（思いやり）。

私は「恕」の意味を、このように解釈するのは初めてである。「恕」は、「如」に「心」と書く。「私の心はあなたと同じ」で初めて「恕」となる。高みからお前を許してやるという意味ではない。「恕」の意味は、思いやり、つまり他人の身になって考えるという意味である。混んだ電車の中で足を踏まれる。踏んだ方が「すみません」と言う。これは、「うっかり踏んでしまってごめんなさい」という意味である。踏まれた方も「すみません」と言うが、これは「あなたの通路を遮ってしまってごめんなさい」という意味である。こうやって、双方が謝ることが「思いやり」なのだ。

贈り物をするときも同じである。中国人は贈り物をするとき、自分が最高に良いと思う物を贈ることを好む。こうしないと心が伝わらないと考えるからだ。さらに、相手が自分にとってどれほど大事か伝えるために、「これは、あなたに差し上げるために、いろいろ探してやっと手に入れたものですよ」などと付け加えることを忘れない。

一方、日本人の場合、わざわざ買いに行ったとしても、何気ないそぶりで、「ついでがあったので買ったのですよ。つまらないものですが」と言う。日本人は、あまりに豪華な品物を贈ると、かえって相手に負担になると考える。なぜなら、日本の習慣では、物を受け取ったら、お返しをしなければならないからだ。高い品物を受け取ったら、安い物をお返しに贈るわけにはいかない。だから、豪華な贈り物は、逆に贈られる方に負担を感じさせてしまう。したがって、日本では、石けん一つやタオル一本がよく贈り物になる。それがわからない人は、日本人はけちだと思うかもしれない。実は、この「けち」の中に、日本人の思いやりがあるのである。

新渡戸稲造の『武士道』では、日本の「礼」を次のように紹介している。

例えば、あなたが、かんかん照りの日に、日除けを持たず歩いていて、知り合いに出会ったとする。挨拶をするときに、相手が帽子を取る。これは普通のことだ。しかし、おしゃべりをするときも、相手は炎天下に、日傘を閉じたままでいるのだ。不思議で、愚かな行為のように思われる。しかし、日傘をささないのは、「炎天下にお気の毒です。私の日傘が大きければ一緒に入るのですが。それもできないので、ともに暑さに耐えましょう」ということなのだ。

新渡戸稲造は本の中で、「礼」は思いやりだと言っている。思いやりとは、日本特有の、他人の気持ちになる、ということだ。『武士道』は百年前に書かれた書物だが、日本社会の思いやりは当時と大きく変わっていない。私は、二十年間日本に住んでいるが、「思いやり」を感じないときはないからである。そうして「郷に入れば郷に従う」で、今の私は、日傘を差していない知人に会ったときは、自分の日傘をたたむのだ。

私の隣人たち

唐辛子

日本で、三回引っ越しをした。

最初は愛知県内で引っ越した。北名古屋市から車で十五分ほどの稲沢市に移った。稲沢に土地を買って、最初の家を建てたのだ。まだ若かったので、家具も多くなく、お金を節約するために、引っ越し会社に頼まず、トラックを借りて織田信長の家の前を何度も往復した。織田信長の清洲城がある清洲は、稲沢に近く、我が家はその稲沢にある。車ならたった十五分の距離だ。私は、あまり考えることもせず、「家具など」をそのまま車に載せ、食器や鍋などは包みもせず積み込んで、がらがらとうれしげに新居に向かった。

この雑な引っ越しに、日本人の友達である敬子は大変驚いた。

「唐さんは、茶碗を古新聞で包んだりしないの?」

「大丈夫なの? 私こんな引っ越し初めて見るんだけど……」

こうやって引っ越すことは、私にとってどうということはないのだが、敬子のような日本人女性にとってはとんでもないことだったようだ。この話は、敬子の笑い話の種になり何度も披露された。「中国人の友達の唐さんがね、こんなふうに引っ越ししたの」。敬子は、毎回大笑いをして話す。

敬子は、私の日本で初めてできた友達だ。敬子の家は、名古屋の最初の住まいの、公園を隔てた所にあったから、敬子を隣人とは呼べないが、友人である。本当の意味での隣人は三千世だ。

三千世の家は左隣にある。彼女の家の二階にある寝室から、我が家の書斎の窓が見える。私たちは同じ頃稲沢に引っ越してきた。そこは真新しい住宅街で、どの家も新築である。家族構成も似ていて、若い夫婦と幼稚園か小学校に行っている子どもが一人二人いる。これは、日本でよく見られる光景で、新婚時代は夫婦で賃貸住宅に住み、子どもが生まれると、家を買うことを考えるのだ。

我が家は三人家族で、三千世の家は四人家族である。きちんとした仕事をしている夫に、健康で賢そうな男の子と女の子が一人ずつ。子どもたちはとても礼儀正しくて、この一家はテレビのコマーシャルに出てくる理想の家庭そのものである。三千世は色白で卵形の顔の典型的な和風美人だ。口調も優しげで、あこがれの的である日本の良妻賢母タイプで、いつも相手の気持ちを慮っている。それは、三千世の花の植え方を見ればわかる。三千世は、自分の家の庭であっても、絶対にジャスミンのような香りの強い花は植えない。それは、家の前を通る人の中には、ジャスミンの香りが嫌いな人がいるかもしれないからだ。「結局のところね」と三千世は言う。「ジャスミンの香りがいくらよくても、それが嫌いな人もいるからね」。

このように、いつも他人を思いやれる三千世が隣人であるのは、大変幸せなことであった。三千世から私は、人の身になって考えることは、単に思いやるという気持ちの問題だけではなく、体裁も良いことを学んだ。体裁の良さは文化である。稲沢では、三千世とお互いを思いやりながら、仲良く楽しく暮らすことができた。おいしい物ができたら、お互いにお裾分けをすることを忘れない。当時、小学校一年生だった娘も、やはり三千世一家が大好きだった。朝夕の登下校で家を出入りする際にいつも足を止めて、庭の手入れに忙しい三千世おばちゃんに、大声で「おばちゃん、お花きれいね！」と言っていた。

数年後、転勤のため、私たちは名古屋から大阪に引っ越した。引越業者が家具や段ボールを運び出した夕方、私たちの車は稲沢の家に別れを告げた。出発前、三千世は私に大声で泣きついて、「寂しくなるわ、唐さん」と言った。三千世の名残惜しい思いが十分わかる私も、三千世に抱きついて涙を流した。こんなに気の合う隣人に二度と出会えないのではないかと、私たちは心配したのである。

三千世とは、今でも連絡を取り合っている。以前、私は稲沢の家に、桃の木を二本、梅の木を一本、ユキヤナギをいくつか植えていた。春になると、三千世が写真を送ってくれる。「桃の花が咲きました。とてもきれいですよ。でも、私写真があまり上手ではないんです……唐さん、また、時間があるときにでも見に来てください。ここにもあなたの家があることを忘れないでね」。そのたびに私は名古屋が恋しくなる。もう戻ってこない一つ一つの場面を懐かしむ。

私が大阪で住んだのは、万博公園の近く、千里山である。二十世紀の高度成長期に開発された住宅地であるので、隣近所は私より年上の人が多い。年長者とは、同年代の三千世のように馬が合うということにはならないが、また別の温もりを感じられる。

例えば、稲村さん。稲村さんについては、私は何年か前『日本の隣人稲村さん』という文を書いたことがある。気ままに書いた短い文だが、慶應義塾高校の先生によって日本語に訳され、高校の教材として用いられた。また、なんと、中国の中学一年生の国語の教材にもなった。この文章は、ネットで見ることができるが、一部を以下に紹介する。

六十歳を超えた稲村さんは、退職前、ワインの販売の仕事をしていた関係で、ヨーロッパでの駐在が長く、そのため英語が流暢で、ギターも上手だった。私たちが住んでいた地域は緩やかな坂になっており、我が家が上の方、稲村さんのお宅は下の方で、我が家の二階のベランダに面していた。夏になると、ベランダから、稲村さん一家がバーベキューをしているのが見えた。家族や友人とテラスでバーベキューをしながら、飲んでギターの引き語りをしている稲村さんは、六十五歳の退職者にはとても見えず、まるで、十五、六歳の少年が青春を謳歌しているようであった。

六十五歳の年、稲村さんは癌の転移が二箇所見つかり、手術を受けなければならなくなった。その時、私は中国の家から戻ったばかりで、稲村さんは、留守中に預かってくれていた手紙を渡すと、しばらく留守になると言った。

「少しの間かもしれないし、永遠のお別れになるかもしれない」。

「もう中期だから、切らないといけないんだ」。

稲村さんは、バラの木の剪定をするかのような手つきで、軽い口調で言うのだった。

癌が見つかる前に、稲村夫妻は、世界一周クルージングのチケットを予約していた。しかたなく、稲村さんは、一人で旅立つ奥さんを波止場に送り届けると、自分は車で病院へ向かい、手術を受けたのである。日本の病院は、家族の付き添いを必要としない。すべて病院に任せておけばよいのである。それに、六十五歳の稲村さんは、医療保険が適用されるから、負担は三割でよい。

稲村さんは、毎年春になると、我が家の庭の木の剪定をしてくれる。稲村さんは、草花の世話が大好きで、退職してから、独学で庭師の資格を取った。私がなぜそれを知っているかというと、千里山に越してきて間もなく、稲村さんから見積書を受け取ったからである。そこには、毎年我が家の庭の木や門の前の大きな松の木の剪定を格安で引き受ける、とあった。もちろん、願ってもないことである。

稲村さんが退院した次の春、稲村さんは手術をしたばかりだし、年齢も高いから、別の業者に剪定をお願いするつもりでいた。しかし、その必要は全然なかった。稲村さんは、退院して半年ちょっとしかならないのに、するすると高い松の木に登り、枝の剪定をしながら、「ほら、すごく元気でしょ！」と叫ぶのだった。

とっくに七十歳を超えたのに、稲村さんは、相変わらず酒を飲み歌い、木に登って「すごく元気」である。休みの日など、両家で一緒に食事をすることがある。会食にアルコールはつきものだが、稲村さんは、長年ワインの販売に携わっていたから、ヨーロッパのワインについていろいろ話し始める。酔うと、それに拍車がかかる。稲村さん自身は、決しておしゃべりだとは思っておらず、「寡黙」で「繊細」であるというのが自己評価である。

稲村さんが、「寡黙」で「繊細」なら、斜め向かいに住む高橋さんは、芸術家肌である。すらりとした長い足で、白いスラックスを穿きこなしている。高橋さんは、若い頃音楽が好きで、バンドを組んでいたこともある。退職後の今は、絵画に夢中だ。私が、引越しで千里山を離れる前日、高橋さんは、手製の絵葉書をプレゼントしてくれた。絵葉書には、千里山の駅と図書館が描かれていた。絵の下には次のような言葉があった。

私は千里山の坂が好きだ。坂を上るとき、上からどんな街並みが見えるか、どんな山が望めるか、どんな風が吹くか想像する。坂を下るときは、道の変化や家の庭の樹木や花壇を見て、季節の移ろいを感じている。

黄昏時もえも言われぬ美しさがある。ぽつんと一つ明かりが灯る。暮れなずむ空の下、続いて、あちらでもこちらでも明かりが灯ると、街の景色が変わる。街の灯りの中を、電車が滑るように駅に入る。下車をする人は、都会の衣を脱ぎ捨て、この街の人の顔になる。

この自慢の美しい景色を、絵葉書にしてみました。

（A.Takahasi）

高橋さんの、まるで詩のような言葉を読んで、思わず涙があふれた。高橋さんの描いた千里山は、まさに私の感じた人と自然そのままなのだ。引っ越しで千里山を離れる前日、私は、隣人宛に、この十年あまりお世話になったことや安全で安心に暮らせたことのお礼の手紙を書き、それぞれの家のポストに入れた。私は、千里山の静かな生活が好きだ。これからも、ここでの生活を懐かしく思い出すだろう。以前暮らしていた名古屋や稲沢を思うように。

日本の電車に乗るなら、暗黙のルールを知るべし

張　石

日本には規則が多い。それらの中には、法律で決められたものもあるし、世間の中で自然にできたものもある。こうした自然にできた暗黙のルールを知らないと、反感を買ったり、争いごとに発展したりしてしまう。たとえば、いつも乗る電車には、このような暗黙のルールが多い。

日本の電車の中で、大声で話をしない、騒がない、ごみを捨てない、化粧をしない、電話をしない、短い距離の場合は、食事をしない、こういったマナーはよく知られているだろう。しかし、まだまだ微妙な暗黙のルールがたくさんあって、外国人がこれを理解するのは難しい。ところが、このルールに違反すると、責められたり白い目で見られたりしてしまう。

まず、一つ目の暗黙のルールは、電車の中では、パーソナルスペースをできるだけ小さくしなければならないということだ。

私は、電車の中で、新聞を読むことをめぐってトラブルが起きたのを目撃したことがある。それは、

一人が新聞を大きく広げていたため、隣に座っている人の邪魔になり、隣の人から抗議されたことである。

日本では、電車で新聞を読むのは、よく見られる光景である。日本の新聞社が依然として何百万部も新聞を発行できているのは、ひとえに「サラリーマン」の多くが電車で新聞を読むことを好むためである。

しかし、新聞を大きく広げて読むと、電車が混んでいようが空いていようが、周囲の反感を買ってしまう。新聞を広げるパラパラという音がすると、周囲の人が眉を顰める。だから、車内で新聞を読みたければ、A2サイズの紙をA4サイズに小さく畳んで読む。それで、読みにくくもならないし、またパラパラという音もしない。魔法のようである。私は、来日して二十年になるが、未だにこの魔術を習得していない。だから、電車の中で新聞は読まない。

新聞を読むときの暗黙のルールは、電車で新聞を読んでもいいが、他人の邪魔にならないよう折って読まないといけないというものだ。混んだ電車では、他の人の邪魔になる大型本は読むことができないし、本であれ、新聞であれ、ページをめくるときの音は、「水を打ったように静か」なレベルまで下げなければいけない。

また、長いスカートの女性が乗ってきて、座ったとする。スカートの裾が隣の席まではみ出していることに気付かず、あなたがスカートの上に座ってしまった場合、どうするか。あなたは謝るか、それとも彼女に叱られるのを待つか。こういう場合、ほとんどの日本人は、悪いのはスカートの女性だと考える。

フリーライターの橋本愛喜氏は、以前ライブドアニュースに「日本人はなぜパーソナルスペースを死守するのか」という文を載せたことがある。その中に、空いた席にまで広げた服の裾を、そこまで広げた人が悪いのか、お尻に敷いた人が悪いのか」というサンプリング調査の結果の紹介がある。裾を広げた方が悪い、と答えたのは、百二十人中八十八人に上っていた。

橋本氏はそれを受けて、「自分以外にも、パーソナルスペースを守らない方が悪いという人がたくさんいた」と言っている。

また、リュックについても、網棚に置くか手で持つのはいいが、大きなリュックの場合、絶対に背中に背負ってはならず、首に下げて前で持つのがよい。そうすれば、後ろの人の通行の邪魔にならないからである。

電車の中で、こんな漫画を見かけた。子熊が大きなリュックを背負って電車に乗っており、子熊のリュックの下で、別の子熊が押しつぶされている。この漫画は、電車のマナーを教えているのだ。リュックを背中に背負ってはいけないと。

電車では、他人の聴覚、視覚、嗅覚に不愉快な刺激を与えてはいけない。電車で、ラジオや音楽を聴いてもよいが、他人に聞こえないようボリュームを下げなければいけない。私は、老人が若者に「音が漏れている。音が漏れている」と怒っているのを見かけたことがある。ここでのマナーは、一人で聴け、誰も一緒に聴きたくない、である。

電車に乗るときの服装にも気を配らないといけない。不潔な服装は嫌われる。私は、電車で、若いきれいな女の子が、見知らぬ無頓着そうな中年男性に、小声だがきっぱりと注意しているのを見かけたことがある。「ズボンのファスナーが開いていますよ。上げてください」。その中年男性は、頭を下げて確認すると、顔を赤らめ、慌ててファスナーを上げると、女の子にお礼を述べた。

もしあなたが不潔な服装をしていたり、酔っぱらってお酒の臭いをぷんぷんさせていたりしたら、周囲の人は、あなたと距離を取って避けるだろう。

電車での暗黙のルールといっても、実は日本の伝統的な道徳観の核心になるものである。つまり「人に迷惑をかけない」ということだ。公共の空間では、過度にリラックスせず、パーソナルスペースは最小限にして、できるだけ多くの人が公共の空間を利用できるようにする。また、視覚、聴覚、嗅覚、触覚などあらゆる感覚において、他の人に不快感を与えない。心理的にも物理的にも他の人のスペースを邪魔しない。あなたが礼儀正しければ、他人も気持ちよくなるし、あなたが慎むことで、公共道徳が守られる。こうして初めて、社会集団が気持ちよく動くのである。

客を選ぶのは傲慢か？

庫　索

日本人は断り方が曖昧だ、というのが定説になっている。とくに京都人は、いろいろな話に編集されて、はっきり言わないことの代名詞となっている。しかし、京都の暮らしが長くなると、そうでもないことがわかってくる。例えばインタビューをお願いすると、大阪人の場合、「もう少し考えましょう」と言ってくる。これはだいたい断り文句である。しかし、京都人の場合は、「ご苦労様、私にはもったいないです」と言う。少し謙遜しながら、きっぱり断るのだ。これが京都人である。

京都の鴨川の上流の河畔に、夫婦で経営しているコーヒー店がある。店内が狭いので、椅子やテーブルを借りて、川辺でピクニックのようにコーヒータイムを楽しむことができる。それで、ネットで話題の店になった。私はコロナ禍の前に何度か行ったことがあるが、客が多いときは、店の前に行列ができており、店員も客もいらいらしていた。最近、手紙を書いて店主に取材したい旨を伝えると、すぐに返事が来た。まず言うに、ここ一年余りは、コロナのために観光客は来ないが、その前は客でいっぱいで、対応しきれず、疲れ切っていた、ということだった。さらに続けて次のように言った。とても小さなコーヒー店なので、もともと近所の人のくつろぎの場にするつもりだった。将来、コロナから回復したとしても、前のように混雑したら、店の大きさや近所への迷惑を考えると、店を閉めるしかないと思う。だから、夫婦で、海外のお客さんへの宣伝はしないという結論を出した。言葉の端々から、申し訳ないという気持ちが感じ取れた。さらに、でもあなたはまたコーヒーを飲みに来てくださいね、と言う。これは典型的な京都人の拒絶の仕方である。何事にも原因と結果がある。この小さな都市には、ネットで話題になることを好まない店や、店を大きくしてたくさん儲けることを目的にしない店もある。これらの店が客を拒むのは、ただ小さな店を続けたいだけだからだ。

居酒屋を取材したときも、よく似た状況だった。三代続く居酒屋は、海外メディアだけでなく日本のメディアの取材も断っている。それは、珍しさに駆られて来る客が多くなると、なじみ客が安心してお酒を飲めなくなってしまい迷惑になるからである。また、ある蕎麦店も「自分は英語ができないから、外国人客とコミュニケーションができない」を口実に、ミシュランの評価を断ったのである。宣伝をしないで、なじみのための七席の小さな店を維持するというのが、店主の経営理念なのだ。取材を受けて知名度が上がり、客が増えることは、個人経営や家族経営の小さな店にとって喜ばしいことではない。京都には夫婦で経営している食堂が多いが、たいてい「人手不足」を理由に取材を受け付けない。店主にしてみれば、安定して料理を出し、なじみ客をきちんと接待するだけで精一杯なのである。しかし、これはこだわりだけの問題ではない。ある店主からこんな話を聞いた。自分の知っている小さな店がテレビに出ると、全国各地から客が押し寄せるようになり、なじみ客は耐えられず来なくなった。店主は、新しい客のために店員を増やしたが、ブームが去るのは意外に早く、一年経つと好奇心でやってくる新しい客はいなくなり、やむなく店を閉めた。なじみ客をつなぎとめるために、快適な環境を提供する、小さな店が断る理由はこれである。

このように取材を断ることは、京都の老舗でもよくあることだ。探してみると、ミシュランの評価を断った店も少なくないことがわかる。ミシュランが来て、光栄だと思う人もいれば、戸惑う人もいるのだ。世界でただ一つの「ミシュラン三ツ星の朝がゆ」で知られる京料理老舗「瓢亭」も、最初は拒否している店の一つであった。店主は当時の理由を、次のように語っている。「ミシュランの審査に一喜一憂するのが嫌だったし、表面的な華やかさも嫌だった。ミシュランのおかげで新しい客が来ても、常連客の居心地が悪くなる」。しかし、なぜ後からミシュランを受け入れるよう考えを改めたのか、それは知るよしもない。しかし、今なおミシュランを拒む京都の老舗には、共通の認識がある。それは、正統な京都料理は、食べ物だけでなく、日本式のサービスと深い文化を提供するという考え方だ。今の世の中、利益追求だけを考えていたら商売は続かない。ここから、京都人の実用主義とも呼べるものが生まれた。老舗が断るのは、当座の利益に目がくらむことなく、過去と未来をつないでいくためなのである。

京都には有名な「一見さんお断り」の文化がある。特に祇園あたりの料亭には「一見さんお断り」の札が掛かっている店が多い。京都の観光客は毎年、五千万人を超える。初めて京都にやってきた客が、丁寧にお断りされて、心にしこりが残り、京都人は傲慢で、知らない人に冷淡だと思ってしまうのもやむを得ない。私の知り合いの料理人は、そう思われることを不満に思っている。彼は言う。「私の料理は食材から調理法まで、自分で研究をし尽くしたものなので、お客さんには、まず私の説明を聞いてよく理解してから味わって欲しい」。だから、言葉の通じない外国からのお客さんはお断りするしかない、というのが、彼の理屈である。これは、また違った意味での責任感である。利益だけを考えるのではなく、客に、料理や器の価値を理解することで、最高の料理を味わって欲しい、というサービス精神、つまり「最高の状態で最高の物を提供する」という気持ちであり、これもまた店を長続きさせていく最も合理的な方法であると言える。初めて来る客の場合、好みもわからないし、さらにコミュニケーションもできないのであれば、京都の最高のサービスも提供できないから、お断りするのである。

「一見さんお断り」であっても、実際のところ、言葉に問題が無ければ、電話で予約して行くことができる。ただ、祇園の奥深くには、一見さんを完全にお断りしている店がある。それは花街のお茶屋である。ここは、芸妓を呼んで舞やお囃子を楽しめる場所で、多くの人が「せっかく京都へ来たのだから、お茶屋で遊ぼう」と思ってやって来て、門前払いされる。その理由はこうである。京都の伝統的なお茶屋のしきたりでは、芸妓や舞妓を呼ぶ費用、彼女らの飲食費、交通費などは、お茶屋が事前に立て替えてから、客が支払う。これは、当然客を信頼していなければできないことだ。昔、花街で築かれた「顔」の信頼は、今日祇園において一見さんお断りの理由になっているのである。

京都に、恵文社という書店がある。イギリスの新聞ガーディアンにも「世界十大書店の一つ」と評され、文学青年の聖地となっている。そこで長年店長を務めた堀部篤史氏は、辞職後、京都の中心地に誠光社というたった十九坪（一坪は三・三〇五七平方メートル）の書店を立ち上げた。そこでは、自身で選んだ本を並べ、いろいろなイベントを行っている。彼は、京都人のお断りを考察し、『店が〝客を選ぶ〟のは傲慢か？』という文を書いた。

そこでは、京都の人が「いけず」と言われている例としてまず「一見さんお断り」を挙げ、そのために「京都人は、紹介なしで来る客を取らないから傲慢だ」「京都人は、お客様は神様だという言葉を知らないのか」「お客がたくさん来てこそ、もうかるのではないのか」と言われていることを取り上げた。堀部氏は、これを否定して言う。客を神様とは見なさないし、目の前の儲けよりは、快適な空間とよいサービスの提供にこだわる、というのが京都の特色だ。そして、こういう「一見さんお断り」という態度は、祇園の茶屋や高級料亭だけでなく、街中の珈琲館、居酒屋、レコード店、書店に共通して見られる。

堀部氏が挙げた印象的な店は、まず、出町柳にある豆大福の「双葉」である。ここは、全国に名が売れていて、毎日店の前に幾重にも行列ができるほどである。これほど人気があるのに、店を大きくするつもりも、支店を出すつもりもない。また、「京都の中華料理店」を代表する店「サカイ」も、秘伝の味である冷麺が、地元の人のみならず、観光客にも人気があるが、スーパーや東京の高級食材店に出荷する気持ちはなく、店でしか食べられない。さらに、河原町三条にある三代続く珈琲館「六曜社」は、手作りドーナツが有名だが、テイクアウトできないし、大量販売もしていない。客は店内でコーヒーと一緒に味わうしかないのである。

これらの店に共通する特徴がある。それは、観光客も地元の客も、店に対して敬意を抱いていることである。豆餅も冷麺もドーナツも、何十年も変わらない味とやり方で提供し、人々の日常生活を支えているのだ。遠く観光客に目を向けないのは、なじみの常連客は、味や雰囲気の些細な変化にも敏感であるからだ。店のモットーは、現状維持である。これも、コロナ禍で観光客相手の店がたくさんつぶれたのに、地元に根ざすこれらの店が、何ら影響を受けずいつもどおり営業できている理由である。

堀部氏が長年働いていた恵文社を辞めて、独立して誠光社を立ち上げたのも、同様の理由、つまりお断りできる書店を作りたかったからである。日本では、不景気から書店も年々少なくなり、雑誌の販売部数も毎年低迷して、読書人口も減少している。書店経営は、利益の少ない事業になってしまった。経営を維持するために、コーヒー店を併設するか、生活雑貨や文房具、食品など、書籍以外の商品で利益を得ようとする書店もある。結果として、恵文社は名が売れるようになり、世界中から観光客がやってきて、京都の観光名所のようになってしまった。店の前で写真を撮り、お土産品を買って満足げに去って行くのである。

「私は、本を中心に文化を伝えられる書店を作りたかった。そのため、規模をとても小さくして、店員を雇わず、妻と二人でやっている。また、利潤を増やすために、直接出版社から本を買い入れている。店には、実用書やベストセラーはなく、センスのよい文化と芸術の本を厳選して置いている」。この店は、御所の東の、京都人でさえわかりにくいところにある。書籍の種類やお店の位置によって、客が選別されていると言える。「ある程度の敷居を設けることで、理想の書店を維持できる。大量販売を目指さず、小さな規模で、自分が売りたい物だけを並べる、これは自分の気持ちに近い仕事だ」と堀部氏は言う。その結果、誠光社には、本当に本が好きな文化人の固定客がついた。「写真を撮るために来て、お土産を買って帰っていくような客は来にくい。これもある意味『一見さんお断り』なのかもしれない。これは、計算尽くではなく、京都の先人から受け継いだ美学がそうさせるのだ。商売を大きくすることに比べて、毎日飽きもせず同じことをし、質の良い物を変わらずに提供し続けることは、京都という町の良い雰囲気を維持する京都人の最低限の美意識で、私はそれに動かされて気ままな店を開くことにしたのだ」。

最近、私は「中小企業の国」日本について取り上げた文を読んだ。そこでは、なぜ「世界の金融の中心地であるウォール街で日本企業は活躍できないのか」ということがたびたび取り上げられていた。ここでの結論は以下のとおりである。「ウォール街で流行しているポートフォリオマネジメントは、日本人の考え方と違うからだ。すなわち、ポートフォリオマネジメントには『過去を忘れる力』が大事で、変化があれば、過去を忘れ、速やかに軌道修正をしていくべきだと考えるが、それは日本人が最も苦手とするところである」。アメリカの投資家は、「これからどうしようか」と考えるが、日本の企業は「今までどうしてきたか」を大事にする。この文には、次のようにも記されている。「日本企業にとって、商売は剣道や柔道と同様に『道』なのである。商売とは、過去と未来をつなぐ道で、これが事業展開の推進力になる」。ポートフォリオに頼らず、ひとつひとつの時間軸の上の変化に対処していく、これこそが日本企業の強みだ。その代表格は東レである。東レの炭素繊維は数十年にわたり欠損を出していたが、あきらめることなく、とうとう成果を上げたのだ。これは、積極的に方向転換をしていくウォール街の企業には不可能なことで、日本企業だからこそできたのである。

「道」と言えば、少し前に、私は華道の先生にお叱りを受けたことがあった。私が、蓮の花を生けたいと言い張ったために、塩野先生から長い手紙をいただくことになったのだ。「五百五十七年の歴史を持つ華道とは、ひたすら学び、ひたすら復習していくことです。それでも完璧にはできません。華道は奥深いもので、近道などありません。私が蓮の花を生けたのは、准教授三級になってからです」。追伸として、東京の華道の先生のコメントが添えられていた。「華道の資格とは、一定のレベルに達したという認定ではなく、次の段階に進んでよいという許可なのです。実際に学ぶことは、資格そのものより難しいのです」。さらに「花を生けるのは、観賞するためではなく、草木の性質と命を理解するための悟りの世界に到達するためなのです。これこそが華道の根本的精神なのです」とあったのだ。

京都人のようにタクシーに乗る

蘇枕書

京都は道幅が狭い。地下鉄は東西と南北に伸びているだけである。路上の電車は、京阪、阪急、叡山電鉄、京福電車くらいで、ほとんどの場合バスを利用することになる。しかし、京都のバスはいろいろ不便なことが多く、昔からよく非難されているが、まして地元の人にしてみれば、ほんとうにたまったものではない。特に旅行シーズンになると、清水寺、高台寺、祇園、知恩院付近の主要道路である東大路など、大渋滞で、とても車が通れる状態ではない。二〇一八年三月末のある日、私は韓国語の授業に出た後、帰宅しようとバスを待っていたが、どちらを向いても来そうもないので、ゆっくりと歩き出した。四条大橋を抜け、北にある山の景色や河畔の木槿の樹を眺めながら、祇園にあるなじみの書画店で一休みし、また歩いて家に向かった。三条まで来て、東大路の二〇六号系統のバスに乗り、百万遍に帰ろうと思ったのだが、いくら待ってもやはりバスは来そうにない。空が暗くなり、小雨もぱらぱら降ってきたので、ヤサカタクシーを拾った。

運転手が、観光客が多い東大路ではなく、白川通りを行きたいと言うので、了承した。平安神宮前の比較的混んだ地域を抜けると、やっと静かな住宅街に入った。運転手が「外国人が多すぎるんとちゃいますか。車がいっこも動きまへん。東大路なんかまったくあきまへんわ」と嘆く。

「そうなんですよね。二〇六号系統のバスに乗りたかったのですが」と私。

「そうでしたか。それは無理と言うもんですなあ。二〇六号系統なんか観光地ばっかり通りますし、道も狭おすしなあ」と運転手。続けて「今年は桜が早よおしたなあ。いっつもでしたら、四月の初めが盛りですけど、今年は三月に散ってまいましてな。四月に来はったお客さんはお気の毒です」と言う。

「そうですね」と言いながら、私は静かな窓の外を見やった。車はすでに東天王町を過ぎ、真如堂に着こうとしていた。

「地元のもんは文句ゆうてますよってに。どっこも観光客ばっかりで、出かけるんも大変や。観光客はやかましてかなん」。運転手の言葉は本場の京都弁である。私の言葉から、少なくとも私が京都人でないことは運転手にもわかったはずだ。

私が、「ここ数年、観光が急に盛んになりましたねえ。安倍さんの旅行業を盛り上げようという政策と関係があるんでしょうね。以前はこれほどでもなかったですよね」と相槌を打つと、運転手は「そう、大問題です。古くからやっていた店もよそからきたチェーン店に負けて、倒産ですわ」と愚痴をこぼしはじめ、揚げ句の果てに中国人観光客の話を持ち出した。「中国人観光客を専門にする会社がありまして、これは違法なんですけど、客がぎょうさんきてはります。ほんま、気の毒ですなあ。京都まで来て、あんな店に連れて行かれるのやさかいに。でも、私、中国のお客さん好きまへん。やかましいですから」。

私は、笑顔を作りおもむろに言った。「おっしゃる通りですね。申し訳ありません。私も中国から来たんですよ」。

同じようなことが以前にもあった。夫の従周と北京でタクシーに乗ったときのことだ。まず夫がきれいな北京語で話した後、車に乗ると、運転手は夫を北京人だと思い込み、よその地域から来た人の悪口を並べ立てた。私たちは黙って聞いていたが、降りる前に夫がついにたまりかねて、「申し訳ありません。私たち二人ともよそ者なんですよ」と言った。運転手は「えっ。いや、よそから来た人が皆悪いわけじゃないですよ。いい人もいますって、ね！」と決まり悪げ。私たちが車を降りたところで、話は終わった。今振り返っても面白い。

この運転手もやはり気まずそうにこう言った。「お嬢さん、中国の方でしたか。勉強で？　それともお仕事ですか？　いえいえ、私は中国好きですよ。小さい頃『三国志』が好きで、家に置いてあります。関羽が好きですよって」。

私は笑顔で、「ああ、そうなんですね。私は学生ですよ。前のスーパーの入り口で停めてください」と言った。

雨はすでに本降りになっていた。私は傘を持っていなかったので、スーパーで食べ物を買うついでに、傘も買おうと思っていた。運転手は、非常に恐縮しながら別れの挨拶をした。私が思うに、運転手は誰かに今のこの話をするかもしれない。京都は外国人が多くなって、もはや観光客だけではなくなった。見た目だけではわからないから、恐ろしい。今後下手なことは言えない、くわばらくわばら。こんなことを考えると、また笑えてきた。

ここ数年、タクシーを利用することが多くなって、おもしろい体験をすることも増えた。二〇一七年に下鴨神社の古本まつりへ行ったときのこと。運転手が、「今日は下鴨神社で何があるんですか？」と聞いてきた。「古本まつりですよ」と私。「ああそうでした。お客さんは大学生ですか？」と運転手。私が、そうだと答えると、また「何年生？」と尋ねるので、答えると、「じゃあ、今年はだいたい〇〇歳くらいですね」と言う。私が、即座に手を振り、「まさか、もうすぐ三十歳ですよ」と答えると、「そうは見えませんよ」と言ってにっこり笑い、自分の話を始めた。「私は土木の勉強をしていたのですよ。卒業後は、土木とは関係の無い仕事をしていたのですが、自分の会社を興し、失敗しました。破産したけれど、やり直す気もないので、運転手になりました。タクシーの運転手は面白いですよ。五年前に借金もすっかり返して、今は、毎日仕事が終わったら楽しく酒を飲んでます」。

私も楽しくなって、何度も感心してみせた。

「お客さんは、古本がお好きですか？」

「大好きです」。

「何を勉強しているんですか？」私が答えると、

「おうちはどちらですか？　京都の方ですか？」と聞いてきた。

ここまで言われて、私はもう落ち着いていられなくなった。お世辞を言われているのかもしれないし、絶対に真に受けるわけにはいかない。そこで「まさか……」と言って笑った。

すると、運転手もにこにこしながら、「そうなんですか。私は九州人です、鹿児島、薩摩ですよ！」

と言う。

それを受けて「私は鹿児島好きです。篤姫が好きですから」と返した。

ここまで話したところで、目的地に到着した。私は、明るい気持ちで別れを告げた。こんなに気持ちがいいのは、運転手が九州人だったからだ。私はすべて納得がいった。なぜなら、地元出身の運転手の場合、少し堅苦しいところがあって、京都人であることにプライドを持っていることがほのかに透けて見え、しかも「あなたは京都の人ですか」などとは、決して聞いてこないからだ。

京都のタクシードライバーには、よそからやって来た人も多く、私は一度、福井の人に当たったことがある。その人は、少し雑談をしたあと、自分から福井出身だと言った。私が、少し前に、大雪の福井で夫と蟹を食べた話をすると、運転手は大喜びをした。言葉も非常に特徴のある福井のお国言葉に変わった。「お嬢さん、ほれはラッキーでしたね。蟹は雪の日に食べるのがうまいんやざ。福井は、蟹の他にもうまい物がようけあるで。またご夫婦で来ておくんね。雪のない季節もみんな素晴らしいやざ」、続けて、「私は魯迅が好きやざ。いい文章があるんやよね、何でしたっけ、魯迅が友達と豆を盗んで焼いて食べるんやざ。すごくうまかったって……私も読んだら食べたくなりました」。

「それは『社戯』ですね。豆は空豆ですよ。魯迅は空豆のことを書いています」と笑顔の私。

「空豆ですか。空豆を焼くと、確かにうまいのぉ」と運転手。

短い距離だったので、おしゃべりも長すぎて冗長になることもなく、ちょうどいいところでぴたっと終わる。これこそが一期一会である。

また、こんなこともあった。家の辺りから便利堂までタクシーで行こうと、車に乗ったあと、スマホの地図を見せ、便利堂へ行きたいと告げた。

京都の人は、店の名前やお寺の名前を言うときに、「さん」を付ける。したがって、私の言い方も「便利堂さん」になる。運転手は、地図をよく見て、方角を確認すると「新町通を上り、丸太町通りを下って、竹屋町通りを上り、丸太町通りを下る、竹屋町通りを下って、夷川通りを上る、やね？」と聞いてきた。私は、地図を細かく見ながら「はい、はい」と続けざまに相槌を打つ。京都の人は、南へ行くことを「下る」といい、北へ行くことを「上る」という。昔からずっと平安京の御所は道路の北側に南向きに建てられていたので、その東側を「左」といい、西側を「右」と呼ぶ。南が「下」で北は「上」である。これが京都人の中核となる方向感覚である。私は、このことをとっくに知ってはいたが、交通の主要な道路以外の小さい道についてはあまり知らないから、こんなふうに正確に場所を言うことは難しい。

車を走らせてまもなく、運転手が便利堂はどういうところなのか聞いてきた。

私は、「歴史の長い美術出版の会社です」と答えたのだが……実は運転手の質問の意味を間違えていたのである。運転手は、「私は、何十年も運転手をやってますけど、ここへ行きたいちゅうお客さんは初めてですわ」と私の言葉を遮って言う。しばらくしてまた続ける。「お客さんは、よその人でっしゃろ。京都の人は、タクシー乗るときに目的地を言わはる人はあんまりおへん。そうやなしに、どこそこ通りを上る、下ると言わはります。目的地の近くまで来たら、そこの辻で停めてと言わはります。行く場所を言わはることはあんまりおへん。大学や、ショッピングタウン、病院といった誰でも知っている場所なら別ですけどなぁ。例えば、京大へ行きたい、高島屋へ行きたいというなら問題はあらしまへん。でも、便利堂さんへ行きたいは、間違うてます」。

私は、「そうだったんですか」という表情で拝聴して、続けざまにお礼を述べた。運転手は言う。「私ら京都の人間には、京都の人間のタクシーの乗り方があるんです。京都の人みたいにしたかったら、道路の名前をすべてしっかり覚えるこっとす。お客さんは京都に来てどれくらいになるんですか？　次乗るときにやってみてください」。

幸い、便利堂は遠くないので、私も、そんなに長い間ご高説を聞かずにすんだ。店に着いて、なじみの女性従業員に「京都の人がどういうふうにタクシーに乗るのか、さっき運転手さんにいろいろ教わりました。京都の人ってタクシーに乗るときにやはりこういうふうに言うんですか？」と聞いてみた。宇治の人で日頃から自分は京都人ではないと言っている彼女は、笑って、「放っておきなさい。京都の運転手がすべて京都人というわけではないし、道路の名前をよくわかっていない人も多いから」と言う。さらに、「ひどいね。便利堂が高島屋みたいに有名ではないなんて。今度私がタクシーに乗るときには、便利堂までって言うわ、宣伝になるし」と笑った。

とても面白い体験だった。もし、読者の皆さんに京都でタクシーに乗る機会があれば、あの運転手の言う「上る、下る」を使ってみるといい。京都人の運転手から尊敬の目で見られるかもしれないから。

京都人のルールとは何か

蘇枕書

中国からの観光客がいかにルールを守らないかについての話は、ここ数年何度も繰り返し語られている。声が大きい、割り込む、勝手に個人の家の庭に入り込んで写真を撮る……これは、日本のメディアでも中国のメディアでも、いろいろな点から取り上げられ、繰り返し語られてきた。これを題材にしたテレビ番組や新聞報道は、日本人にも中国人にも興味を持たれている。これらに対し、日本人は深く賛同するだけだが、中国人の反応は様々である。「中国国民の資質」や「国民性」を批判したり、逆に日本人の資質や「ルール」を賛美したり。また「恥」や「尊厳」の意識を持って、己の言動を振り返ることを喚起することもある。総じて、いろいろな角度からものを考えられる、よい話題である。

私は、この話題に触れるのに、反対ではない。以前、銀閣寺前に住んでいたとき、同胞である中国人観光客が、花を摘んだり、枝を折ったりするのに、思わず非難の目を向けていたからだ。もちろん、責められるべきは、中国人観光客だけではない。京都人からしたら、総じてよそ者はマナーが悪い、外国人はもっと悪いということになる。以前、観光政策がさほど推進されていなかった頃、まだ少数であった中国人観光客が、ひたすら買いものをすることが異様に感じられて、揶揄と風刺、その他いろいろ複雑な気持ちを込めて、「爆買い」と評していた。その後、中国人観光客が大量に来るようになると、批判の材料に事欠かなくなった。「マナーが悪い」というのは、「困ります」同様、日本人が文句を言うときによく使う言葉だ。観光客を批判するとき、さまざまな言葉に混ぜて使う。

京都の人は毒舌で、とうとう「観光公害」という言葉を用いて、観光客が京都の人の日常生活にもたらす面倒を表現するようになった。日本政府は、観光を推進することで、経済の活性化を図っているが、そのくせ、地元の人の利益や需要を鑑みず、インフラや人の配置が不十分であるから、地元の人が怨嗟の声を挙げるのは、容易に理解できる。

「行政機関や旅行社は、観光客に対して、事前に文化や習わしをしっかり教えるべきだ」。新聞には、京都人のこんな意見がよく載る。旅行先の風俗習慣を理解しておくことは、旅行者の最低限のマナーであるから、この京都人の気持ちはとてもよくわかる。私が旅行へ行くとして、その土地のことをまったく知らなかったら、とても落ちついた気持ちでいられないだろうからだ。

しかし、京都の人が言う「文化や習わし」のレベルは高く、京都文化観光検定（二〇〇四年から始まった、京都商工会議所主催の資格試験。日本各地で行っているが、受験者が毎年急減しているので、行わなくなったところもある）を受けなければ、京都に旅行に来る資格がないと言わんばかりである。それでは、日本の習わしとは何か、また京都の決まりとは何か？　もっとも基本的で、皆が当然守るべきルール（横入りしない、ゴミを投げ捨てない）以外に、他に何があるだろう。

何年も前のこと、中国のグルメ雑誌が、京都の地元で人気のある料理店を取材したいというので、私は、評判のいい小さな店を探し出し、電話でインタビューを申し込んだことがある。主人は、京都の訛りのきつい老人であったが、「中国の雑誌」と聞くなり、気を高ぶらせ、「うちは中国の雑誌の取材は受けしまへん。中国のお客はんは来てほしないさかい。ぎょうさん、中国や韓国のお客はんがいてはりますけど。声は大きいし、あちこちものをほかすし、まったく決まりを守ってくれしまへん」と言う。

こんな民族に対する偏見まがいの露骨なことを言われて、私は、ごめんなさい、お邪魔しました、インタビューは結構です、と言うしかなかった。

相手は、中国人観光客に対する思いや不満をぶちまける絶好の機会を得たと言わんばかりに、私相手に興奮しながらまくしたてた。「中国人のマナー一番悪おす。店に入るなり、わーわーぎゃーぎゃー騒いで、ぎょうさんの席を取って、食事は残すし、食べ終わってもすぐには出て行かへん、ゴミは床にほかす。掃除が大変どす。中国からのお客はんがいちばん好かんどす」。

私が、早く電話を切りたくて、「そうですね、おっしゃるとおりです、ごめんなさい。お電話かけて申し訳ありませんでした」と言っているときに、遠くの方で、奥さんのご主人を止める声と、ごめんなさいと言う声が何度も聞こえてきたが、そのときの電話は、それで終わった。思い返せば、あれは「観光公害」の先駆けであった。

実は、この件には続きがある。数日後、私はこのご主人から電話をもらった。聞くと、雑誌社の方からサンプルが届いたという。どうも雑誌社の方では、私がインタビューを提案していたあの店に雑誌を送っていたようである。私はまた、勝手に送りつけてきてマナーがなってないと、叱られるのかと思っていた。その電話は、「すんまへん。こないだの電話のことで、横におった女房にひどう怒られましてん。思い返すにつけ、後悔しとります。おたくけど悪いわけやあらしまへん。中国は広おして、いろいろな人がいてはるさかい。あんたにぜんぶ文句を言うてもうて、ほんまにすんまへん。きのう届いた雑誌はきれいどすなぁ。ええ雑誌どす。うちら中国語はわからしまへんが、この雑誌のレベル高おして、丁寧に作られてることはわかります。そのへんにある日本の雑誌よりええん思います。あの日、すぐにお断りしたこと、あないに失礼な話をしてもうたこと、後悔してます。すんまへんどした。また、機会があったら、インタビューをお受けしよう思てます」。

この話はこうして終わった。店主の不満は理解できるけれど、その後私はその店に行っていない。自分がマナーを守れるか自信がないからである。店主の本音を聞き、私は、後から恐ろしくなってきた。広い京都で、わざわざあの店に行くこともないだろう。店主の偏見や怒りは、実は私たちにとって、なじみの薄いものではない。「〇〇人のマナーが最も悪い」の「〇〇」に国名や地名を入れれば、私たちも言ったことのある言葉になるのではないか。私にももちろんある。だからこそ、気軽な気持ちで人を傷つけてはいけない、深く考えず差別的なことを言ってはいけない、と自分に強く言い聞かせている。

しかし、たくさんの情報を得、経験や人とのふれあいを重ねることで、偏見や怒りが消えることもある。これは、感動的なプロセスである。

一度、真如堂の花の師匠である省吾先生と一緒に食事をしたことがある。下半期はお互いに忙しくて、あまり顔を合わす機会もなかったのだ。最近は何が忙しいのかと聞くと、新年お寺に備える花の準備で忙しいとのこと。梅や南天はともかく、竹の値段が高騰したので、山に竹を切りに行くつもりだと言う。

「車でずっと美山町まで行くんだ。背の低い竹があるのは知ってる？　年越しのときに、いつも飾りに使うもので、葉は大きく端が白くなっていて、どこの林にもだいたい生えている」。

「お寺は美山町に山を持っているのですか？」と私は好奇心に駆られて聞いた。

省吾先生は謎の笑みを浮かべると、声を落として「お寺の山ではないけれど、毎年そこへ行っている」と言った。

「私有林？　違法じゃないのですか？」とすぐに私。

「厳密に言えばそうかもしれないけれど、曖昧になっているところがたくさんあるんだ。私たちは、できるだけ遠い山に入り、一つの場所からは少しだけもらうようにして、たくさんの場所に行くことにしている。他の人の分も残しておくんだ」。続けて「朝早くに出て、一日採るんだ。竹林の中には、背の低い竹が、必要としている分だけたっぷりあるところもあるけれど、見てわかるほど切ったらだめだ。竹の間に風が通るほど、つまり、通風する感覚で切らないといけない」。

「信じられません、大丈夫なのですか？」私は、京都人よりも京都人のようになって、次々と質問を浴びせた。「見つからないのですか？　怒られませんか？」

「私の故郷である南丹の家の辺りは、山に大木を植えないんだ。竹や灌木、藤に葛、山菜があるだけで、これらはすべてお金になる。もし誰かが黙って採っていくところをうちの父に見つかったら、罵倒されるよ。だから、私たちは、そんなところへは竹を採りに行かない。美山はそれとは違って、巨木ばかりで、地域の人は林業で生活をしているから、山菜や背の低い竹のことなど気にもかけない。もう長年の暗黙の了解のようになっているから、そこへ行くんだ。竹を採って、立ち上がって見たら、向こうに車が停まっていたということが何度もある。それも竹を採りに来た人の車だ。お互いとくに話もせず、挨拶を交わせば、それでわかるんだ」。

省吾先生のこの話を、私は、なかなか信じることができなかった。身近に規則を厳守する先輩がいるからである。一緒に山登りに行くと、先輩は道の木や枝を、持ち帰っていいものかどうか毎回吟味する。私が木イチゴを摘むと、先輩は、ここは私有地だよと言った。こんなふうに感化されて、私は、規則はしっかり守らなければならないと思うようになったのだ。

「実は、私たちは適当だよ。まあ、慣習法を守るようなものだ。私たちの習慣では、山が豊作で、地元の人の利益を損なわないのであれば、自分が必要なものを自分のやり方で採っていいんだよ」。省吾先生は続ける。「ある年、竹の花が咲いて、竹が枯れてしまったことがあった。年越しのときに竹が無いから、わざわざ長野の深山に入って、さっきのやり方で竹を切ってきたんだ」。

「わかりました。秋の山の栗拾いと同じで、他人の山でも、禁止されていなければ採ってもよいなんて、双方暗黙の了解ですばらしいですね。山の持ち主は、栗でお金儲けをする気がなく、拾う方も、採って売るのではなくて、自分が食べて楽しむため。まるで、山からのプレゼントを一緒に受け取るかのようで、かわいらしい感じがします」と私。

省吾先生は、うなずき、にこりとして言った。「さっきから、すごく緊張しているみたいだけれど、京都の人はそんなに厳しいことはない。その土地で一緒に生活していたら、共有できる曖昧な場所があるものだ」。

日頃私が観察を通して得た京都の決まり事に対する思いは、省吾先生の話によって変わった。厳しい規則は、外から来た人に対して、今の秩序が守られるよう古くからの住民が打ち立てたものなのだ。古くから京都に住んでいる人も、自分たちは大して規則を守るわけでもないのに、外から人が来たために、規則を強調して、より団結するようになったのだ。

京都人が外から来た人を、マナーがわかっていないと痛罵するのは、今に始まったことではない。はるか昔、川端康成は、戦後の京都には静謐な優雅さがなくなったと批判している。しかし、京都は本当によそ者がやってくることを許さないのか。そんなことはない。昔も今も、たくさんの旅人が、京都の魅力に惹かれてやって来るのを見ればわかる。京都から遠く離れた片田舎に、京都の言葉が残っていたりもする。それは、昔の「田舎人(いなかびと)」が、古都から持ち帰った名残なのだ。外から人がやって来ることで、京都に喧噪と刺激が持ち込まれるが、活力と創造力も同時に入ってくる。古都は、決して高級なショーケースに入った生命のない記念品ではなく、お金や、人、物、思想が混じり合いぶつかり合って生まれる生き生きとした都市なのだ。私は、もう十分に京都のマナーについて感化されているが、「観光公害」という荒っぽい言葉は決して使いたくないし、かたくなな「京都の規則」を打ち立てることにも反対である。

美術館で待ち合わせする気分とは？

劉　檸

東京で、右も左もわからないのは仕方がないが、いくつかの場所だけは、必ず知っておかなければならない。なぜなら、そこは待ち合わせのホットスポットだからだ。例えば、新宿東口ＡＬＴＡ、ＪＲ渋谷駅ハチ公像、新橋駅日比谷口の蒸気機関車、六本木ヒルズの巨大クモなどが挙げられる。私が待ち合わせをするのは、そういう場所ではなく、主に本屋である。新宿東口の紀伊國屋書店、神保町の三省堂、東京堂書店ふくろう店などいろいろだ。

書店での待ち合わせのよいところは、早く来すぎようが、遅刻しようが、相手の時間を無駄にしないことから、プレッシャーがないことだ。また、ギャラリーに喫茶店が併設されている書店もある。挽き立てのコーヒーは、とても香ばしく、その上、おいしいクッキーが添えられたりしていることが多い。実を言うと、コーヒーをすすりながら、手に入れたばかりの本を読んでいるときなど、相手が遅刻してくれないかとさえ思ってしまうほどだ。私は、書店が舞台のミステリーが好きだからか、東京、横浜、京都などの大都会にある書店の客を見ると、その人の職業や趣味をつい想像してしまう。東京には書店が多く、古書店だけでも千軒近くある。こんな複雑な書店という舞台で、人は毎日待ち合わせをし、出会う。それが、いろいろな話へ発展したり、結末を迎えたりすることは十分にあるだろう。書店が舞台のミステリーが生まれても不思議ではない。何年か前、浦睿文化から『古書堂事件手帖（ビブリア古書堂の事件手帖）』堂々四巻が発売された。内容は、北鎌倉駅前の古書店を舞台にした話である。しかし、その古書店は架空のものだ。

日本には、書店以外に待ち合わせにふさわしい場所がある。それは、美術館である。芸術家肌の若者なら、美術館ほどいい雰囲気の待ち合わせ場所はないと言うだろう。当然ながら、美術館には芸術的である以外に、美術館ならではの客観的な特徴がある。まず、交通至便なことだ。日本の大都市の美術館は、だいたい駅の近くにあり、交通が便利で、駅構内にわかりやすい標識がある。例えば、大型美術館がたくさんある六本木であれば、いろいろな地下鉄の路線が交わっているけれど、どの路線で来ても、ひとたび改札を出れば、国立新美術館であれ、森美術館であれ、はたまた21_21 DESIGN SIGHTであれ、どこの出口から出て、どこで左折し、その後何メートル歩けばよいのか、一目瞭然なのである。矢印に従って進めば、間違えることは万に一つもない。

次に、場所と文化的景観が素晴らしいということである。美術館（Art Museum）と博物館（Museum）の語源は、ギリシャ語のmouseionであり、もともとの意味は、学問と芸術を司る女神ミューズの神殿である。中国語の「美術館」ももとは日本語であり、明治時代に日本人がmuseumの訳語として充てたものである。語源は以上のとおりだが、現代の美術館は、媒介的空間であり、芸術という直接美に関係するものを結び付けている。だから、他の文化施設なら、極端な話、美しくなくてもよいが、美術館は、絶対に美しくなければならないのだ。そうでなければ、「美術館」という名にそぐわない。ここでいう美しさとは、所蔵品や展示品の美しさだけでなく、建物やその周辺の環境も全部含んだものである。言葉を換えると、その美しさは、環境芸術に対する一つの指標である。十年ほど前、私は「新京報」に『美術館の国』という一文を寄せたことがある。（拙著『中日之間』、中信出版社二〇一四年一月）これは、近代以降、国の「美術行政」が主導した数世紀の長きに及ぶ美術館の発展の歴史を、大まかに整理したものである。

八〇年代には、どこの地方自治体にも美術館ができた。県や市、経済発展地域はもちろん、「一つの町に一つの美術館」と言ってもよいほどの数になった。東京だけでも、百近い美術館がある。美術館の多くは、その地で最も豪華で、もっとも目を引く建物であり、芸術品の展示をするだけでなく、市民のための文化センターの役割も担っている。建物前の広場には、鳩が餌をついばみながらゆっくり歩き、少年少女の音楽バンドが歌い、ダンスを舞う姿が見られる。

現在の美術館は、国や地方自治体による公共の施設の他に、企業や個人による美術館、画廊などいろいろなものがある。率直に言えば、美術館や画廊が林立し、美術館業界は熾烈な競争状態だ。それでは、激しい競争の中、存続していくために必要なものは何か。それは環境芸術である。そこで、各レベルの美術館は、企画に工夫を凝らす以外に、それぞれの環境の良さをできるかぎり利用し、自然や文化的景観の中に溶けこんで、「美の装置」として休みなく影響力を放ち、美を延伸している。

東京の中心大手町をゆっくり歩いていると、約一世紀半前の赤レンガ造りの洋館——三菱一号館美術館が見えてくる。高いオフィスビルに囲まれている姿からは、その小ささよりも、長い歴史の移り変わりと深さを目の当たりにしているように感じられ、心の底から敬意が湧いてくる。東京国立近代美術館で展示を見て、館内書店の自動ドアを出、庭の一角に停めてあるワゴン車の売店で生ビールを買って(東京国立近代美術館は、日本では珍しくアルコールの販売がある)、木の椅子に座り、すぐ前に見える皇居や川を見ていると、まるでタイムスリップをしたかのような強烈な気持ちに見舞われる。近代芸術史が、目の前の皇居の光景と交錯して、渾然一体となるのである。私が京都へ行くたびに訪れるのは、御所や二条城、清水寺、金閣寺、銀閣寺といったところではなく、京都国立近代美術館である。展示を見終わると、赤い漆塗りの大きい椅子に腰掛け、大きな窓越しに見える景色を眺める。平安神宮の大鳥居や、京都市美術館の貴重な西洋風の建物、白川の静かな流れ、遠くの青々とした山々……私は、ここで、何度友達と約束をしたことか。どれだけ写真を撮ったことか。

日本での美術館巡りには、もう一つ大事な目的がある。それは書店だ。書店といっても、美術館付設のミュージアム・ショップのことで、売っているのは、展示品と関係のある図録や出版物が主で、記念品や工芸品も扱っている。図録は一般図書ではないので、書籍コードもなく、価格も同様の図書と比較すると安い。図録といっても、高い規格で印刷されており、テーマと関係する解説や、学術論文まであって、しかも著者がその道の権威であることが一般的なので、学術的所蔵的価値を有するのである。そして、図録の販売は、開催期間中に限られているため、「この村を過ぎたら、もう店はありません」というような状態になる。もし数年後、その図録が欲しくなったとしても、古書店に行って探すしかない。価格は、だいたい貴重本くらいに上がっている。二〇一五年九月、東京永青文庫が、浮世絵春画展を開催した。展示品は、大英博物館のものであり、多くが日本初公開であったため、客が押し寄せたのは言うまでもない。図録は大変分厚いものであったが、たった四千円でかなり値打ちがある。他には、芸術関係の本も置いてあり専門書店に勝るとも劣らない品揃えである。また、十数年前、二十年以上前のとっくに絶版となった本なども売っている。私は以前、港の旧倉庫を改造して芸術的な空間にした、横浜BankARTの書店で、『美術手帖』のバックナンバーを買ったことがある。どれも私が長い間探し求めていたものだ。私にとって、館内のショップは宝の山で、よく作家や写真家のサイン本が見つかる。私は、東京国立近代美術館、東京都現代美術館、東京都写真美術館、横浜美術館のショップで、森山大道、荒木経惟、須田一政、北井一夫といった人たちのサイン入り写真集十数冊を相次いで手に入れている。しかも、それらの本はみな定価で販売されていた。もしその本を古書店に売りに行けば、軽く倍から数倍の価格で売れるだろう。お宝探し云々というのは、冗談ではないのだ。

話を待ち合わせに戻す。美術館で待ち合わすことを客観的に見れば、交通便利で時間の節約になる。しかしコストは安くない。というのは、欧米に比べ、日本の美術館の入館料は総じて高めだからだ。特別企画展を見るだけでも、千五百円程度はする。特別企画展と常設展を両方見る場合、二、三千円かかることもざらである。それに、見た後のコーヒーと爆買いを会わせれば、一回の約束が五千円を下らない。そこで問題となるのが、誰と行くか、である。ガールフレンドなら、お金なんて問題にもならない。しかし、普通の友達の場合、相手のことを考えなければならない。何と言っても日本は割り勘の国だからだ。しかし、私はまったくそんなことを考える必要はない。なぜなら私が美術館で会うのは、基本的に芸術家や、企画する側の人である友達だけだからだ。芸術家の場合、自身が定期的に見学する必要があるのだから、まったく遠慮する必要がない。私が、企画する側の人というのは、美術館に勤務し、学芸員として芸術を研究している専門家のことだ。うまいことに、私には、東京、京都、金沢といった「文化の町」と言われているところすべてに、学芸員の友達がいる。学芸員の友人と会うときは、友人の勤務先まで出向く。友に会えるし、展示を見られるから一挙両得である。論語の「亦た楽しからずや」の心境だ。さらに嬉しいのは、無料で入らせてもらえることである。私は、だいたいの場合、あらかじめ午後に行くと連絡し、目的地に着いてから電話を入れる。学芸員の友達は、ゲストカードと、特別展の図録を持ってやって来る。私が展示を見ている間、友達は仕事に戻る。観覧と買い物が終わったら、また電話を入れる。友達が出てくると、私たちは場所を近所の居酒屋に変えて、「夜の部」を開くのだ。

芸術家や学芸員の友達と会うのは、年に何回かある。具体的にいつ頃かというと、展覧会の開催中である。日本の美術館の展示は、非常に計画性がある。それは、重要な展示については、海外からの展示物の輸送、それに伴う保険など巨額な予算が必要になるので、数年前から計画しておかないといけないからだ。芸術のいろいろな情報を見ておけば、大事な展示会を見逃すこともない。開催の一年前には、芸術の情報誌や刊行物に、全国の主要な美術館の展示の内容と期間が掲示されるのだ。するべきことは、自分の都合に合わせ、「行くべきところ」を選び出すことだけだ。ただし、選択の代償として、たくさんの展覧会を割愛してしまった空しさが残る。

ここまで書いて、私のいる北京の状況を思い出した。「首都」でも他の都市同様、美術館建設ラッシュが起こったが、運営管理面では、未だ劣った状態にある。一つ例を挙げると、７９８芸術区には私がよく買い物をする画廊があるが、そこで何年も前に、日本の写真家須田一政の写真展を企画したことがある。数か月前に、私は公式ウェブサイトやウィーチャットなどからその情報を得て、楽しみにしていた。私は須田一政のファンであり、「須田流」についての評論を書いたこともある。サイン入り写真集だって何冊も持っている。行かないはずがない。しかし、そういった情報誌には、開期についての具体的な記載はなく、ただ「近日中」とだけある。そこで、私は数日に一回、画廊の公式アカウントに、具体的な期間のお知らせがないか確認をした。こんなふうにしているうちに、二、三か月が瞬く間に過ぎていった。私は海外旅行を予定していたし、須田一政写真展を見逃したくなかったので、画廊に電話した。なんと、電話に出た女性もいつ開催されるのか知らないと言う。私は訳がわからなくなった。これは、自分たちで出した展覧会開催の案内ではないのか？　なぜわからない？　電話の女性が申し訳なさそうに言うには、作品はとっくに日本から天津に運び込まれている。しかし税関で止められていて、いつ通関できるかわからない、ということであった。

私は思った。これは不可抗力だ。そう、不可抗力あるいは、不確実性。このような状況で、中国の美術館報が、一～三年以内に開催される大きな展示の計画を載せられるわけがない。思い通りにならないことは多いが、口にできることは少ないものだ。この不確定な時代に、筆者としては、当面、中国の美術館で人に会う約束をしない方がよいだろうと思う。

熱くなれない日本人

毛丹青

私はずっと、人の思考は「ホット」なものと「クール」なものに分けられると考えている。「クール」な思考というのは、謙遜といえるかもしれず、人に心理的負担を感じさせないようにと考えるものだ。「ホット」な思考というのは、太陽そのものという感じで、何事であれ、少し大げさであっても、その場の雰囲気を盛り上げようとするものだ。

私は、かつて重病で手術をし、一か月近く入院したことがある。体重も十キロ落ちてしまった。この間、日本と中国の学生たちがそれぞれお見舞いに来てくれて、私は非常にうれしかった。やって来た中国の学生はこのように言った。「今日はアルバイトがあったんですけれど、お見舞いのために休んで来たんですよ。それからこれは、すごく栄養があるもので、お体のためにとてもいいですよ。ぜひ召し上がってください」。

相前後してやって来た日本人学生の言い方は、まったく違っていた。「今日はこの辺りでアルバイトがあるので、ついでに寄らせてもらいました。早くお元気になってください。これはつまらないもので、お金もかかっていません。ほんの気持ちです。気に入っていただければいいのですが」。

これだけ大きな違いは、「ホット」「クール」という言葉でしか説明できないのではないか。また、これを証明できる例が他にもある。

大学で試験監督をしていたときのこと、一人の中国人留学生が、カンニングをしている学生を見つけ、挙手して監督している教員に小声で訴えた。教室の何列目の誰々がカンニングしました。不正を許さない素早い行動だ。教員は、決まり通りに学生を試験場から連れ出すと、場外で待機していた別の教員に引き渡した。この事件があっても、幸運なことに、試験場には混乱は起こらず、試験時間は静かに流れた。また、別のことが日本人学生の身に起こった。試験が全部終わったときになって、日本人学生が私にメモを渡しにきた。そこには「何列めの誰それがカンニングをした」とあり、ご丁寧にもかわいらしい図まで添えられていた。

しかし、カンニング行為は、どんな場合も現行犯で捕まえなければならない。そうでないと、はっきりわからなくなってしまうからだ。あの日本人学生にそれがわかっていたかどうかは知らないが、一点だけ確かなことがある。日本人学生は、カンニングした学生とぶつかることを恐れ、自分の姿を見えないようにした、ということだ。これは「クールな処理」である。

もしも行動に「クール」と「ホット」の区分があるなら、思考の上にも同様の区分があるだろう。私には、もう一つ、どうにも表現しにくい経験がある。

以前、二階建ての家を借りて住んでいたことがある。二階は書斎で、私が毎日中国語と日本語で書き物をする場所である。一階が客間で、時には友達を招いたりしていた。ある日、日本人の友人が、海外から帰国してお土産を渡したいからと、車でやって来た。短時間のことなので、車は門の前に停めておいた。客間で、私がお茶を入れて楽しく雑談をしていると、しばらくして玄関の呼び鈴が突然鳴った。ドアを開けるとドアの外に警察官が立っているではないか。見るからにたくましい人で、私は突然のことに戸惑ってしまった。本当になぜ警察がやってくるのか訳がわからない。「お宅の門の前に違法駐車の車があります。早く移動させてください」と言う。

私が思わず、「誰が言ったのですか?」と尋ねると、警察官は、気軽に「お隣ですよ」と教えてくれた。

これにはほんとうに驚いた。というのは、お隣とはお互いによく知っていて、朝晩顔を合わせたときなど、挨拶を交わす間柄だからだ。どうして、直接我が家に来て言わないのか? よりによって、わざわざ警察に言うなんて。

大したことではないので、日本人の友人は飲みかけのお茶を置くと、警察に何度もお詫びの言葉を言って、車に乗って帰っていった。次の朝、私は隣人一家と顔を合わせたが、お互い何事もなかったかのようにお辞儀を交わした。とても和やかな雰囲気だった。この、礼には礼を返す人間関係の中で、私が強く感じたのは「クールさ」である。

ここ何年か、私は自分の中国語の授業で、日本人生徒たちに作文を書かせている。テーマはずっと同じで、「私が一番好きな漢字」だ。必ず手書きで、パソコンで打ち出したものは例外なく不可。しかも必ず授業中の決まった時間の中で書き上げなければいけない。延長はしない。

何年かしているうちに、制限時間がどんどん短くなって、今回はたったの二十分だ。時間制限を設定したのは、日本人の学生に、間違いを恐れず本領を発揮してほしいからだ。文に間違いがあったところで、言いたいことはわかるものだ。中国語にはスピードが大切だ。

しかし、私が先ほど書いたことと同様、日本の学生は作文においてもクールだ。お日様の温もりはなく、「熱く」なれないし、「夢」もない。好きな漢字一つとっても、ほとんどの学生が、「無力」とか「喪」といった冷たさを感じさせる字を挙げる。明らかに中国の学生とは違う。これは価値論ではないから、どちらがいいとは判断仕様がない。しかし、一つだけ私が確信をもって言えることがある。それは、国民性である。日本の学生がこのように考えるのは、とても深い集合的無意識と関係しているのではないか。

ここに、日本人女子学生の作文二編貼り付けておく。一つは「郁」であり、もう一つは「真」である。ご覧になって、日本のクールな思考を味わっていただきたい。続きは、またの機会に書くとしよう。

私が一番好きな漢字

私は小さい頃から本を読むことが好きで、自分でも少し書いたりする。私は、三島由紀夫の書く文章が好きだ。三島由紀夫は、作家であり、劇作家であり、記者であり、映画作家であり、俳優だ。高校一年のとき、私は三島由紀夫の戯曲を読んだ。題は『熱帯樹』である。ある家庭を描いたものだ。若くて美しい母親、会社経営をしている父、意志の弱い兄、病弱な妹。具体的なストーリーはここには書かないが、この家庭は破滅へと向かうのである。兄と妹は一緒に自殺する。この文章から私は大きな影響を受けた。この文を読んでから、私は「破滅の中の美」にあこがれるようになった。この家庭では、死がだんだんと大きくなり、青々とした熱帯樹にまで成長する。家全体が鬱蒼とした森へと変貌してしまうのだ。私は今でも、この妹が羨ましくてたまらない。妹の名前は郁子。そう、私が一番好きな漢字は「郁」なのだ。郁という字は、深くて恐ろしいけれど美しいあの熱帯樹といつも一緒にある。熱帯樹は、いつも私の心の奥底にあって成長しているのだ。「郁」という字が私に与えた影響は、美しく鬱蒼としたものが小声で甘く私に語りかけてくることだ。

（日本人学生の作文「一番好きな漢字――郁」）

私が一番好きな漢字

私が一番好きな漢字は「真」である。理由は二つある。

まず、私の名前にこの漢字があるからだ。人が自分の名前に使われている漢字に特別な思いを持つように、私もこの漢字に特に強い思いがある。また家族に対する思いもある。

次に、「真」という字にはとてもよい意味があるからだ。それは私の目標である。私は、「真」という字には、まっすぐという意味があると思う。だから私は、まっすぐ生きていきたいと思うし、曲がったことはすべきでないとこの字を見て思う。

以上の理由から、私が一番好きな漢字は「真」なのである。

（日本人学生の作文「一番好きな漢字――真」）

我最喜欢的汉字

我从小喜欢看书，自己也会写一点。有一名作家叫三岛由纪夫，我很喜欢看他的文章。他是一名作家，同时也是剧作家、记者、电影剧作家、演员。高中一年级的时候我看了一篇他写的剧本，名字叫“热带树”。剧情主要描写了一个家庭。缺少深爱的母亲、企业家的父亲、意志薄弱的哥哥、病弱的妹妹。具体内容我不写，为了这个家庭最后走上死路，哥哥妹妹两人一起自杀。这篇文章强烈影响了我的感性。自从读了这文章后，我开始梦见“破灭里才有的美”。在这家庭中，灭亡的胚芽越长越大，最终变成一棵郁郁的热带树。整个家变成一片郁郁苍苍的森林。我强烈（到现在还在）羡慕过哥妹。尤其是妹妹。她的名字叫“郁子”（いくこ）。没错，我最喜欢的汉字就是“郁子”。“郁”字深深的和那棵又可怕又美丽的热带树（还在一起）。在我的心里这棵树永远长在最里面最深奥的地方。又暗又美、郁郁葱葱，用甜蜜的声音跟我低语。“郁”字对我的影响就是。

日本人学生の作文　「一番好きな漢字——郁」

我最喜欢的一个汉字

我最喜欢的一个汉字是“真”。我有两个理由。

第一次，因为我的名字里有这个汉字。汉字在自己的名字里，人们对这个汉字的感情非同一般，是对我非常特别，也有我的家族的感情。

第二次，“真”这个汉字有非常好的意思。那是我的目标。我觉得“真”也有一直的意思。所以这个汉字常常让我想起来我应该一直活的，而且不应该歪曲。

自这些两个理由，我最喜欢的一个汉字是“真”。

日本人学生の作文　「一番好きな漢字——真」

第四章

終活 ——きれいさっぱりこの世と別れる

長寿大国の日本人は本当に長生きだ

姜建強

紙おむつの情報がどこにあるかご存じだろうか。

日本が世界で一、二を争う長寿大国であることは誰もが知っている。厚生労働省が二〇二一年七月に公表したデータによると、二〇二〇年の日本人の平均寿命は女性が八十七・七四歳、男性が八十一・六四歳で、二〇一九年と比較すると、女性は〇・三〇歳、男性は〇・二二歳寿命が延びている。どちらも史上最高のデータである。二〇二二年四月十九日に百十九歳で亡くなった世界最高齢の日本人、田中力子さんの話では、百十九年間はそんなに長いものではなかったそうだ。二〇二一年の統計によると、百歳以上の日本人は八万六千五百十人にのぼる。

遡ること二〇一二年、『日本経済新聞』は、日本の成人用紙おむつの売上高が子ども用紙おむつを初めて逆転したと報道した。この短いニュースの中には二つの驚くべき事実が書かれている。一つは極端な少子化、もう一つは極端な高齢化である。

少子化は日本の魅力を失わせた。美少女文化は歴史上のものとなるかもしれない。ＡＫＢ48や乃木坂46などといった青春の中にほんのり色香を匂わすようなユニットは、今後結成が難しくなるかもしれない。しかし、高齢化はこの国の大きな魅力でもある。百歳まで生きたくない人がいるだろうか。誰もが不老不死を願うだろう。だから、多くの人が日本に来て治療を受け、老後を過ごし、日本で寿命を延ばしたいと願うのだ。なぜなら、日本は長生きの超一流国家だから。

我々中国人がまだがん患者の五年生存率を心配しているというのに、日本人はすでに十年生存率のスタンダードを実施している。我々中国人が心臓や脳の血管疾患に恐れおののいているときに、日本人はもうこの病気の死亡率を世界最低レベルに引き下げた。我々が美的欲求からダイエットに取り組み始めたとき、日本人は二〇〇八年にすでに特定保健指導の制度を確立し、成人病発症率を引き下げていた。

超高齢化社会を迎える日本は、「老人」の定義を改めた。老人や老いに関する最大の研究機関、日本老人学会は二〇一七年初めに次のような提言をした。五～十年前と比較すると、六十五歳以上の生物学上の年齢は五～十歳若返っている。認知機能の面では、現在の七十歳は十年前の六十歳ほどの人と大して変わらない。そこで、この学会は以下のような新しい基準を立てた。六十五～七十四歳までを準高齢者、七十五～八十九歳までを高齢者、九十歳以上を超高齢者、と。つまり、七十四歳になる前日に死んでしまったら、中国語でいういわゆる「花甲（還暦の意）」の老人というわけだ。

なぜ長生きしたくないのか

長寿はもちろん良いことだ。何歳まで生きられるか、この究極の問題は多くの帝王や宰相たちを虜にした。だが、ほかの人たちが羨ましくてたまらないと思っているのに、日本人は長生きに嫌気がさしていた。死にたいのに死ねない、しかし生きていれば迷惑をかける。九十歳になったとき、子どもの世代は六十代だ。現在日本で増加している「老老介護」は、六十代の人が八十歳、九十歳の人の世話をすることだ。介護の期間は長く、たとえ孝行したい気持ちがあっても挫折してしまう。日本人は儒家の「孝」の文化がないのだからなおさらだ。

東京でかつて発生した上村剛の母親殺しには心が痛んだ。この孝行息子がなぜアルツハイマーの母親を殺害したのだろうか。結局は、長い介護生活に耐えられなかったからにほかならない。二〇一六年には、神奈川県川崎市の老人介護施設で二十三歳の介護スタッフが老人三人を施設のベランダから突き落として殺害し、再び日本を震撼させた。老人の社会的存在は確かに難しい問題である。犯人は逮捕後に次のように供述した。終わりが見えない介護の仕事がいやになった、と。「介護殺人」は近年の日本の新しい名詞になった。

人々から羨ましがられる長生きも、当事者は長生きしたくないと思う。日本は理屈だけでは通らないいびつな社会に突入した。そこで、近年、有識者を語る作家や学者が死に関する本を次々と出版している。老人は生に執着せず死を直視し、死に方を学ぶ必要があるのだ。

代表的なのは木谷恭介の『死にたい老人』、椎名誠の『ぼくがいま、死について思うこと』、久坂部羊の『日本人の死に時』、五木寛之の『死を語り生を思う』、福田和也の『死ぬことを学ぶ』、嵐山光三郎らの『上手な逝き方』、山折哲雄の『「始末」ということ』などである。

推理小説家の木谷恭介は八十三歳の時、老いのため、体の自由が利かなくなり、性機能も失って、すべての欲望が減退し、絶望的な余生を送ることに意義が見いだせなくなった。彼は少しずつ断食をして死のうと決意し、毎日自分の観察日記をつけた。だんだんと行動意欲が失せると同時に、ひどい頭痛と口の渇きを覚え、死が近づいている気がした。しかし、この時、彼は毎日、テレビのグルメ番組に食欲を刺激された。東日本大震災のニュースも彼の感情を高ぶらせた。結局、断食による胃の痛みに耐えられず、彼は病院へ行った。三十日の断食は失敗に終わった、つまり死は失敗に終わった（一年後の二〇一二年一二月九日、木谷は心不全のため死去した。）。

小津安二郎監督の傑作『東京物語』に次のようなシーンがある。湯がしゅんしゅんと沸く音を聞き、猫が部屋で遊んでいるのを眺める、なんということはないささやかな日常だが、これが戦後日本の高齢者に対する「春江水暖」だと誰が想像しただろうか。時は一九五三年。子供たちをしっかり育て上げたのに、老人たちは東京では「宿なし」だった。悲しみの果ての淡白さとでもいおうか。では、淡白とは何か。子どもたちに棄てられたある種の諦観だろうか。映画の中で、老いた父が一人部屋に座り、ため息とともに言った次の言葉には深く考えさせられる。「一人になると急に日が長くなる」。

君の膵臓を食べたい？

一九七二年、我々中国人がまだ人口ボーナス期であったころ、作家の有吉佐和子が発表した長編小説『恍惚の人』は、初めて老人の痴呆と介護の問題を取り上げ、半年で百五十万冊も売れた。小説の中で、八十四歳の茂造はアルツハイマーを患い、一夜にして恍惚の人となった。息子の信利は、茂造のことを「病葉が裸木の枝先に絡みついてただ一枚残っているような」と言い、孫の敏は「パパもママもこんなになるまで長生きしないでね」と言った。息子の妻昭子だけは、茂造がまだ野の花に心を動かしていることに気づいた。でんでん太鼓の音を聞くと、茂造は明るい笑顔を見せた。当時の日本の高齢化率は七パーセント程度で、高齢化の入り口の段階にあった。当時の日本の平均寿命もまだ七十から七十五歳で、ある夜眠りについたらもう二度と目覚めなかった、などはよくあることだった。

映画監督の安藤桃子は二〇一一年に小説『〇・五ミリ』（幻冬舎出版）を出版したが、これは自身の介護経験に基づいて創作した小説であった。二〇一四年には同名の映画が上映されている。人と人との距離は、静電気のように〇・五ミリの位置がちょうどいい。ある老人は介護士の佐和に会うと必ずお尻を触った。ある老人は佐和を、一緒に風呂に入ろうと誘った。またある老人は本屋でスケベ小説を盗んで読んだ。どうやら、余命いくばくもない老人は、性的欲求によって、自分がまだ生きていることを世に示しているようだ。

日本では「熟年離婚」はもう時代遅れになった。原因は作家の杉田由美子が二〇一四年に出版した『卒婚のススメ』で初めて「卒婚」という言葉を作り出し、「卒婚」ブームを巻き起こしたことによる。「卒婚」とはつまり、婚姻から卒業することだ。どうやって卒業するのか。まだ愛は残っていて、離婚はせず別居の形をとる。それはなぜか。夫が九十歳になった時、家事も何もしないのを想像すると、言いようのない恐怖を感じるからである。記者の小林美希は二〇一六年に『夫に死んでほしい妻たち』を出版し、この言いようのない恐怖を具体的に言語化した。離婚の手続きも煩わしい、夫が死ねばいいのに、と。

住野よるの同名小説を改編した映画『君の膵臓を食べたい』は日本でかなり人気だった。高校生のカップルがこのような激しい感情と衝動で相手の膵臓を食べたいと思うのは、非常に純粋で何物にも代えがたい愛である。しかし、この種の純愛は「卒婚」の中にまだ見出すことはできるだろうか。

一九三一年生まれの宗教哲学者山折哲雄は、「始末」という形象的な用語を作り出した。「生に始まり、死に終わる。生死を始末に置き換え、死とは何かが浮き彫りになる」。彼は自分の死の作法を考えた。中世の歌人西行法師に倣い、春の桜が満開の満月の時を選んで死ぬ。この難しさはどうやって死へのカウントダウンをするかにある。すなわち、いかにして食事を少しずつ減らし、最後は絶食し干からびて死ぬか。山折はこれが人の最高の死に方であると言う。「葬式はしない、墓は作らない、骨は残さない」は彼の「三無主義」宣言だ。

長生きが幸福だった時代はもう終わったのか?

イギリスの詩人バイロンは、人は三十五歳以上になるまで生きるべきではないと言った。現代人はきっと、この詩人は頭がおかしくなったのだと思うに違いない。忘れてはならないのは、バイロンが一八二四年に亡くなっているということだ。そのころイギリス人の平均寿命はだいたい四十歳。バイロンは五歳ほど少なめに言ったに過ぎない。そしてロシアの作家ドストエフスキーは『地下室の手記』の中で、主人公にこのように言わせている。人は四十歳を過ぎるともうそれ以上生きるのは道徳に背き、低俗になる、と。

ドストエフスキーは一八八一年に亡くなった。当時のロシア人の平均寿命はだいたい四十五歳であるから、五歳ほど少なく述べただけだ。こうやって見てみると、彼らの言い分は決して現実離れしたものではない。中国の荘子は、人の生命は本質的に意義がなく荒唐無稽であると看破し、それゆえに今日まで生きている名言「寿則多辱」を後世に遺した。『詩経』の「南山之寿」は、後に「寿比南山」と言われるようになり、中国人の達観した生命観を浮かび上がらせ、「命あっての物種」と考えるのが標準的となった。

日本の南北朝時代の吉田兼好は『徒然草』で、人は四十歳未満で死ぬのが一番良いと言った。基本的に当時の平均寿命と一致するが、重要なのは彼が次のように断言していることだ。四十歳を過ぎると、人は自分が老いて醜くなったことを忘れる。晩年になると孫を溺愛し、物の道理を弁えなくなる、情けないことだ、と。吉田兼好の考えは、日本人が敬老の習慣を持ちにくく、老人が孫をかわいがる風潮を認めにくいことを明らかにしている。

しかし、老いは本当に少しも役に立たないことなのだろうか。いや、違うだろう。日本の戦国武将の三傑、織田信長は享年四十九歳、豊臣秀吉は享年六十三歳、徳川家康は享年七十五歳。最後に笑ったのは家康だ。彼の年齢に対する真理は、命あってこそ、天下を取れる、だ。やはり年齢は有用なのだ。テレビ朝日の『徹子の部屋』の司会者、黒柳徹子はもう八十四歳。彼女は、百歳まであと十六年もあるから、まだまだやりたいことがたくさんある、例えば恋愛や結婚とか、と言った。黒柳徹子は長生きしたいのだろう。

一九四七年生まれの女性作家、松原惇子は対照的だ。二〇一七年、七十歳の時に出版した『長生き地獄』で、長生きが幸せだった時代はもう終わったと言っている。この本の中で、彼女は「あなたは長生きがしたいですか」というアンケートを実施したことに触れている。質問は以下の三つである。

第一問　長生きという言葉を使うとき、何歳ぐらいをイメージしますか。
回　答　六十歳…一人　七十歳…一人　七十五歳…一人　八十〜八十五歳…二十六人
　　　　九十歳…二十八人　百歳…一人
第二問　あなたは長生きがしたいですか。
回　答　長生きしたい…九人　長生きしたくない…三十七人　わからない…十八人
第三問　あなたは何歳ぐらいで死ねたらいいと思いますか。
回　答　八十歳以下…十二人　八十五歳…三十一人　九十歳…十一人　九十五歳以上…六人

やはり長生きしたくない人が多数を占めることが明らかであり、八十五歳ぐらいで死にたい人が最も多い。

作者は著書の中で六つの理想的な死に方を例示している。

（一）延命治療を拒否する。
（二）リビングウィルを書く。
（三）家族や友人に自分の意思を伝えておく。
（四）救急車を呼ばない。
（五）孤独死に期待する。
（六）最期は自宅で迎える。

若かりし日にアメリカ留学をした作家の目には、長生きは地獄であり、恐怖にほかならない。

死んだのはなぜ認知症のおじいさんのほうではないのか

脚本家の橋田壽賀子は二〇一六年一二月『文芸春秋』に「安楽死で死なせてください」を発表した。夫と死別して二十七年後、二〇一七年に九十二歳になった彼女は「日本も早く安楽死の法制化に着手するべきだ」と主張し、一時期話題となった。多くの日本人はネット上に次のような書き込みをした。

・世界には飢え死にする子供もいるというのに、我々はベッドの上で国の費用で死を待つ。こんなことをするくらいなら早く安楽死した方がましだ。
・老人が無駄に生きれば若者に苦労をさせる。こんな社会はもうおしまいだ。
・安楽死の法整備がなされれば、介護殺人もなくなる。
・生きることが権利なら、死ぬことも権利と言えるはずだ。しかも死のほうがずっと不可侵の権利だ。
・安楽死が生きる力になる。
・最期は自殺ではなく安楽死のほうが望ましい。
・七十歳以上の人は今百万人もいるので、安楽死の準備をするべきだ。

名俳優樹木希林の有名な広告のコピーがある。「長生きを叶える技術ばかりが進歩して、なんとまあ死ににくい時代になったことでしょう」。我々は死からさほど遠くない場所にいる。人は必ず死ぬ。しかし少なくとも自分が望む形で死を迎えたい。

　現在の高度な医療技術が人々にもたらした最大の利益は延命治療の常態化である。日本の高齢者の寝たきりでの寿命は他の先進国よりも長く、男性で十年、女性でおよそ十二年だ。介護ベッドの上で十年あるいは十二年も、ベッドから降りられず、歩くこともできない。寝返りや自分で食事をとること、排せつさえできない人もいる。考えてみれば非常に恐ろしいことだ。そこで日本政府は、「死の質」（QOD）の概念を発表した。この概念の本質は、医療が死に対して重大な責任を負うということだ。

　日本では毎年百二十万人が死ぬ。しかし二〇二五年には百六十万人を超える人が死ぬと予測されている。調査によると、「人生最後の時をどこで過ごしたいか」という問題に対して、六十パーセント以上の日本人が、できるだけ長く自宅療養したい、と答えている。自宅で死ぬことを選ぶ深層心理は死の自由への渇望だ。物理的な自由ではなく、精神的な自由は自宅でしか得られない。これは野生動物が死に面した時、森へ帰ろうとするのと同様だ。万物が有する帰巣本能がそうさせるのだ。二〇一七年六月、乳がんで亡くなった小林麻央は、最後は自宅で死ぬことを選択した。彼女はツイッターで、やはり家が一番いいと書いている。

　日本では、二〇一六年に生まれた女の子の半数近くが九十歳まで生き、男の子は四分の一が九十歳の大台を突破すると推測される。日本人にとって、これは幸か不幸か。「もともと負け犬」と自嘲する東京大学名誉教授の上野千鶴子は、著書『おひとりさまの老後』の中で、結婚しようがしまいが構わない、誰でも最後は一人なのだ、一人で死ぬことを恐れるよりも今から老後の計画を立てた方が良い、と述べている。これはもちろん生の意義を語っている。一方、二〇一七年に享年百五歳で亡くなった医師の日野原重明は、「世界で最も長く医療に従事した医者の一人」と称される。彼は百歳を過ぎてもまだ患者を診ていた。小学生との交流では、「私たちはどうして命がみえないのでしょうか。なぜなら、命はみんなが持っている時間だからです。死んでしまったら、もう自分の時間を使うことはできません。だから、今の命をどうやって使うのかよく考えてください」と語った。

これは言いかえると、ほかの人のためにどのように時間を使うか、ということだ。こちらももちろん生の意義を説いている。では、上野千鶴子の説く生の意義と日野原重明の説く生の意義と、あなたはどちらがいいと思うか。

どのように生きようが、最後に直面するのはやはり、いかにして死ぬかという問題だ。人の寿命は一体どのくらいなのか。二〇一六年、アメリカの研究グループは、理論上は百十五歳が寿命の上限である、と発表した。それならば、その時最も流行する罵り言葉はおそらく、「お前を百十五歳まで生かしてやる」になるだろう。それでは、私たちはどうすれば、老いや介護に直面しても思いやりを忘れずにいられるだろうか。

非常に難易度の高い問題だ。しかし、全てはいかに「ピンピンコロリ」を実現するかであろう。

だから日本人は問う。なぜ死んだ方が認知症のおじいさんではないの?

だから日本人は喜ぶ。母がこんな年まで生きてなくてよかった。

がん大国の「抗ガン技術」

姜建強

二〇〇〇年から、毎年二月四日はワールドキャンサーデーになった。

がんのために世界で特別な日を設定するのだから、がんの難治性と死亡率の高さに対し、人類は低頭するしかないのだと言える。人の知性と狡猾さが何になるのか。いまだがんの「精神現象学」の奥深さにあらがうことはできない。がんとの闘いは今もなお暗黒の中にあるが、この暗黒の闇の中にも我々は少し光を見ることができる。アジアにおいて、この光は最初に島国日本から放たれた。

国立がん研究センターは二〇二一年に、二〇一一年から二〇一三年のすべてのがんの五年生存率を発表し、全体では六十八・九パーセントであった。これは先進国ではアメリカとほぼ肩を並べている。主ながんの中では、日本は乳がんの五年生存率が九十三・二パーセント、大腸がんが七十六・八パーセント、胃がんが七十五・四パーセントである。完治しにくい肺がんや肝がんであっても、早期であれば、五年生存率はそれぞれ四十七・五パーセントと三十八・六パーセントを達成している。

こうしてみると、日本は確かにがん治療の効果を最も上げている国であり、世界で最も精密検査が発達し、最先端のがん研究を行っている国だ（毎年発表される論文は質、量ともに世界トップである）。二〇〇一年に開設された兵庫県立粒子線医療センターは、世界で最初に陽子線と炭素イオン線の二種を用いた放射線治療を開始した「開墾地」である。

さらに注目すべきは、二〇一七年の年明け早々、NHK出版が出した一冊の本がベストセラーになったことだ。タイトルは『がんで死ぬ県、死なない県』。著者は松田智大、国立がん研究センターの有名な医学者である。著者は本の中で、遺伝性のがんは全体の五パーセントを占めるにすぎず、その他の大部分は生活習慣によるものだと発表した。

日本各地で生活習慣が違うため、がんの罹患率も大いに異なる。日本全国のがん発症率を百とすると、女性の死亡率が高い乳がんは東京が最も高く百・八。最も乳がんになりにくいのは鹿児島県で四十八・八。男性で最も多くみられる胃がんの上位三県は、秋田県が百十九・六、山形県が百六・二、富山県が九十六・六。ほぼ東北の日本海側に集中している。反対に、最も胃がんになりにくい上位三県は、沖縄県が三十八・三、鹿児島県が五十二・一、熊本県が五十七・一。上位三県はすべて日本の最南端であり、がんが食生活と関係があることがわかる。

この本はさらに、日本でがんの死亡率が最も高い県と最も低い県の統計を出している。最高は青森県、最低は長野県、この両県の死亡率の差は最大で一・四倍である。このほか、北海道は肺がんの死亡率が最も高く、福岡県は肝臓がんの死亡率が最も高い。この本の価値は研究者が地方の差異を隠すことなく、風土や習慣の違いがもたらすがんの現状をデータにして問題を整理し、読者に提供している点にある。

今いる場所でどうやってこれからも健康に暮らしていくか。これは成熟したがん大国の非常に成熟したやり方である。

二〇〇五年、東京大学医学部の教授養老孟司と東京大学附属病院のがん治療専門家中川恵一は、共著『自分を生ききる――日本のがん治療と死生観』の中で、日本のがん患者は大幅に増加し、十年後には二人に一人ががんになる時代が来ると予測した。生きることを前提とする社会は可能なのか。死はどのようにして日常のものとなるのか。緩和ケアは安楽死とどう向き合うのか。本の中で「人生－社会－医療」の三位一体構造を提言しているのは先見の明がある。

二〇一一年、中川恵一は『がんの練習帳』を出版し、日本はすでに世界で一番のがん大国になったと言っている。がんになったらどうすればいいのか。がんで死ぬなら、どんな死に方がいいのか。予防から告知まで、どんな心構えが必要なのか。治療や再検査の選択の仕方、末期の痛みをどうするか、などについて、事前に練習しておけば、平常心でいられると筆者は言う。がんは怖いものではない、怖いのはがんを知らないことだ。がんの最前線を生きる両者の見方は、ちょうど次の二組のデータに対応する。

日本の二〇一六年のがん患者数は百一万二百人、そのうち男性は五十七万六千百人、女性は四十三万四千百人である。二〇一五年は九十八万二千百人だったので、二万八千人の増加だ。上位五位までのがんは、大腸がん、胃がん、肺がん、前立腺がんと女性の乳がんである。

日本の二〇一六年のがんによる死亡者数は三十七万四千人で、そのうち男性は二十二万三百人、女性は十五万三千七百人だ。二〇一五年よりも死者数は三千人増えている。死亡原因の上位五位は、肺がん、大腸がん、胃がん、すい臓がん、肝臓がんである。

ここで問題が一つある。がん治療先進国の日本はなぜがんになる人が多いのか。一つには、日本人が長生きだからとも言える。長生きすれば「天寿がん」になる。もう一つの見方は、日本人が最も得意とするソフトパワーの和食である。塩漬けにしたり揚げたりする和食の調理法や非常に精緻で精確さにこだわりすぎた結果、加工食品に頼りがちになった。刺身は見た目に美しいが頻繁に食べれば免疫力が落ちる。日本人を不安にさせてしまうだろうが、これはいかなる前提も設けていない学術研究によるものだ。

がんが増えれば珍しい病気ではなくなり、がんになっても働くことが日本の一つのスタンダードになった。日本の有名人や学者は基本的に自分の病状を隠さない。

正直に言うのが日本のがん文化の特色の一つである。一九三八年生まれの与謝野馨は、二〇一二年に『全身がん政治家』を出版した。彼は三十九歳で議員に初当選した時、悪性リンパ腫と診断されたと告白している。医師は余命二年と宣告した。その後、三十五年の間に、直腸がん、前立腺がん、咽頭がんなどにもなった。

一生の間に四種ものがんを患った与謝野馨は、東京大学法学部卒業後、中曾根康弘元首相の秘書を経て、文部大臣、通産大臣、自民党政調会長を歴任した。第一次安倍内閣では官房長官を、麻生内閣では財務、金融、経済財政の三つの大臣を担当した。与謝野馨の母は食道がん、妻は大腸がん、妹は舌がんを患い、「がん家系」と言える。

森喜朗元首相は、二〇一五年肺がんと診断され、左肺の切除手術を受けた。当時は二〇二〇年東京オリンピック組織委員会会長をしており、術後一週間でオリンピックに関する会議に出席した。首相であった二〇〇〇年には前立腺がんと診断されたが、仕事を続け、首相を辞してから手術を受けた。

二〇一三年十二月五日、当時TPP担当だった経済再生大臣の甘利明は記者会見を開き、舌がんであることを公表した。手術後わずか十日間で公務に復帰し、次のTPPの会議に出席している。

明仁天皇は二〇〇三年一月に前立腺がんの手術を受けられた。宮内庁は二〇〇二年十二月二十八日に国民にこの情報を発表した。

日本の有名人は基本的に病状を隠さない。作詞作曲家の桑田佳祐は食道がん、タレントの生稲晃子は乳がん、司会者の大塚範一は急性白血病、芸人の宮迫博之は胃がん、第五十四代横綱輪島は咽頭がん、女子プロレスラーの亜利弥は乳がん、タレントの北斗晶も乳がん、歌手の北山陽一は脳腫瘍、有名俳優渡辺謙は胃がん、女優の南果歩は乳がん、さらに二〇一六年乳がんとなって話題になった小林麻央がいる。ほかにも「知の巨人」と称された立花隆は二〇一三年に『がん／生と死の謎に挑む』を出版し、自身が二〇〇七年に膀胱がんになったことを明らかにした。治療を通じ、日本のがん治療の最前線とは何かを理解した。

二〇一六年九月、乳がんで話題になったタレントの小林麻央はブログで闘病日記をつづり始めた。

こういった日本人のやり方は中国人とは非常に対照的である。中国で耳にする訃報や弔辞では、「病になり医療も効果がない」という言い方をよくするが、何の病なのか、誰も知らない。あるいは人に知られたくない。なぜ知られたくないのか。本質的にまだがん文化が成熟していないことと関わりがあるだろう。

がん患者にとって、がんとは自分の体の一部分であり、生活の一部分である。自身の思考の一部分でもあり、感情の一部分でもある。なぜ隠す必要があろうか。佐野洋子は『100万回生きたねこ』でよく知られる絵本作家であるが、六十六歳の時に乳がんで乳房切除手術を受けた。二年後、がんは大腿骨に転移していた。佐野洋子は治療を拒否し、この間に『役にたたない日々』を執筆してベストセラーになった。本には患者と医師の次のような会話がある。


「あと何年もちますか」

「ホスピスを入れて二年ぐらいかな」

「いくらかかりますか、死ぬまで」

「一千万」

「分かりました。抗がん剤はやめてください。延命もやめてください。なるべく普通の生活ができるようにしてください」

「分かりました」


二〇一〇年十一月、佐野洋子は死去した。享年七十二歳だった。

彼女の本は我々に一つのことを教えてくれた。がんで死ぬとはどういうことか、ということだ。では、彼女はどのように言っているかというと、がんで死ぬ恐怖やがんで死ぬ意味は自分の死から来るものではなく、他人の死によるものだ、と。

この意味から言えば、日本の「医者の良心」と称される（異論はあるが）近藤誠の意図するものが多少理解できるかもしれない。彼は近年、著書の中で一つの観点を表しているが、それが「医療放棄」であり、心を自由にすることにほかならない。これは順天堂大学医学部病理・腫瘍学教授の医学博士、樋野興夫を想起させる。彼は二〇〇八年一月に順天堂大学内に「がん哲学外来」を開設し、翌年にはNPO法人「がん哲学外来」を設立、自ら理事長となった。

日本人が作り出した全く新しい概念「がん哲学外来」に注目してほしい。臨床医の診察行為ではなく、病理学者と患者やその家族との対話によるコミュニケーションのあり方である。このあり方が伝えることは、人生の良し悪しは、最後の五年で決まる、ということである。過ぎ去りし日々をいかに過ごしたかを気にする必要はない、人生最後の五年を過ごす気持ちで、全力で生きる。

二〇一六年十二月九日、日本の国会は「がん対策基本法」を成立させた。注目すべきは先進国で、日本がどこよりも早く二人に一人ががんになり、三人に一人ががんで死ぬ時代になったことを、日本政府が包み隠さず宣言したことだ。この基本法は、心身の痛みを和らげ、生活の質を向上させる「緩和ケア」の概念を提示している。

この概念が最終的に目指すのは、患者が安心して暮らせる社会を作ること。日本政府は基本法の形でがんのために法を作り、がんは日本人の国民病となったこと、日本というがん大国のがん文化が大きな一歩を踏み出したことを表明している。

日本の無常観に学ぶ不安な時代の生き方

張石

二〇二〇年、世界がかくのごとき未曽有の変化を遂げるとは誰が予想しえただろうか。一方では世界は「固体化」し、鎖国状態、ロックダウン、外国からの旅行客や人流はほぼ停止し、大部分の飛行機はまるで木製の鳥のように動くことなく役に立たない鉄くずと化し、目に見えず触れることもできない新型コロナウイルスの影響で地球が停滞している状態だ。

その一方で、仕事や生活、事業は無限の流動のさなかにあり、ホテル、飲食店などの多くが閉店し、失業者にあふれ、病気になっても入院できるかどうか誰も保証できないありさまだ。仕事も生活も命も、「朝に夕べを保ち難し」といった状態で、平和の時代において最も不安な時代を迎え、誰もが明日どうなるか分からない。将来は浮雲のように不安定だ。

このような時代には、心の支えが不可欠である。多くの人が、ことが起きる前に心理的に崩壊し、不安の中で方向を見失うかもしれないからだ。このような時、日本の知恵は、現実の苦しみを取り除くことは難しいとしても、必要となる心の支えを提供し、現実の困難をやり過ごせるようにサポートする。

まず、日本人は仏教の「無常観」を非常に高く評価している。「無常」とは、世間の万物が絶えず変化することを言い、その本質は万物を「空」であるとする。万物の変化はとめどなく、縁あって生まれ、縁あって滅び、泡のごとく幻のごとく、永遠に存するものはない。

『六祖壇経』の記載によると、永嘉玄覚禅師が初めて六祖恵能にまみえたとき、「生死事大、無常迅速」と言った。六祖は「何不体取無生、了無速乎」と答えた。玄覚は「体則無生、了本無速」と即答した。

右の大意は次のとおりである。玄覚禅師は六祖に向かって言った。「生死はまことに常なく迅速で、捉えようがない」、恵能は言った。「なぜ万物に自性なきことを体得せず、身体を空とし、無生の道理とするのか。自らの身体が本来空であると悟り、生はないものとみなせば、生死の問題は解決するではないか。何が早い遅いというのか。お前が意を用いたからこそ生死があるのだ」と。

中国も日本同様、仏教の影響を深く受けた国家であるが、日本の哲学家であり文化学者でもある梅原猛が指摘したように、「仏教は日本では苦の教義が無常の教義へと変化し、日本人の感情形成において大きな役割を果たした」（梅原猛『美と宗教の発見』、集英社、一九八二年）。

梅原猛は『古今集』の美学と文化的特色を分析して次のように指摘した。可能性が現実とはなりにくいとき、彼（『古今集』の歌人）は外在する敵対勢力の中に原因を探すのではなく、また自分の力が及ばないからとするのでもなく、ひたすら無常のさだめだとした。もしかすると、そこに日本の悲観的感情の原型が形作られたのかもしれない。理想と現実のはざまで、理想が現実に押しつぶされそうなとき、外在する敵にその原因を探ろうとすれば怒りの感情が沸き起こるだろうし、自分の力不足が原因だとすると「罪」の意識が芽生えるだろう。しかし『古今集』の歌人たちはこれを運命の無常だとした（『美と宗教の発見』）。

日本の古典文学や哲学においては、一貫して「無常」が主題となっている。軍記物の『平家物語』の出だしにあるように、「祇園精舎の鐘の声、諸行無常の響きあり。沙羅双樹の花の色、盛者必衰の理をあらわす。奢れるものも久しからず、ただ春の夜の夢のごとし。猛きものもついには滅びぬ。ひとえに風の前の塵に同じ」だ。

平安時代末期から鎌倉時代初期の作家、鴨長明の『方丈記』の書き出しは、「ゆく川の流れは絶えずして、しかも元の水にあらず」だ。古代ギリシャの哲学者、ヘラクレイトスの言う「同じ河に二度入ることはできない」と言わんとすることは同じであり、松尾芭蕉の俳句「やがて死ぬ　けしきは見えず蝉の声」の前詞には「無常迅速」の四文字がある。蝉の声はやがて消えてしまうが、我々は天地を覆う広大で天衣無縫の音楽の無常の変化の中で天籟へとつながる。これこそいわゆる「無常の美」である。南北朝時代の歌人である吉田兼好の『徒然草』において、無常観はまるで一筋の奇妙な光のように、兼好法師が描写するあらゆるものを照らし出している。まず、無常観は一種の悲哀を帯びた詠嘆であり、無常観に照らされると物悲しい感情に覆われる。その後、この奇妙な光はしだいに透徹へと向かい、最後は色も形もない透明なものとなり、万物はその光の中で透明の裸体へと凝集してこの宇宙を転がる寂寥に触れるのだ。平安時代の女流作家、清少納言の『枕草子』も人生の無常にたびたび触れ、「河は飛鳥川、淵瀬も定めなく、いかならむとあわれなり」と言い、人生は常に変化し無常であることを感じさせる。

日本人は「永遠に変わらないもの」を追求せず、変化はある種の美ととらえる。盛衰興亡もすべて

「無常」の美なのである。「無常観」は仏教と関連のある重要な美意識の一つなのだ。

世の本質が無常であるなら、我々は運に任せて一切の心配や憂慮を手放し、過去は過去、未来は未来と割り切れる。もう二度と戻らないことを後悔する必要はない。なぜなら、過ぎ去ったことを悔やむのは、再びあるいは何度も自分を罰することになるからだ。未来を心配する必要がないのは、未来は永遠に不確定で、特に我々の生きる現代は一層不確実性を増し、世界的な不運が無数の恐るべき幻想を生み出し、その幻想は無限に広がって、我々の心を破壊してしまうことは疑いの余地がないからだ。

このような時代にあって、我々は今を生きるスマートさを持ってはどうだろうか。
高瞻遠矚
有時是
預支痛苦

瞬息万変
来不及未雨紬繆
鼠目寸光
就是活在当下

一杯濁酒
酔得月亮也抖　（詩　張石）

（大意）
見通しがよい時には、
苦しみを先に味わうこともある。

日々の変化が目まぐるしく、
雨が降る前に窓の修理が間に合わないこともある。
だが、目先のことにとらわれてこそ、
今を生きているといえよう。

一杯の濁り酒に酔い、
月も揺れる。

我々はポジティブに生きる必要があるが、物事は極に達すれば逆方向へ転換する。悪運尽きれば幸運が来る。人生の勝敗は無常であり、勝ちの中にも負けがあり、負けの中にも勝ちがある。福の中にも禍があり、禍の中にも福がある。興隆も久しくなれば必ず衰退し、冬が終われば春が来る。いかなる災難もいずれ転機が訪れ、またいかなる疫病も永久に続くことはない。人類はいつの日か伝染病に打ち勝ち、さらに知恵を得て、自然とうまく付き合い、お互いに助け合えるようになる。

『聖書』に次のような話がある。「だから言っておく。何を食べようか、何を飲もうかと、自分の命のことで思い煩い、何を着ようかと自分の体のことで思い煩うな。命は食物に勝り、体は衣服に勝るではないか。空の鳥を見るがよい。蒔くことも刈ることもせず、倉に取り入れることもしない。それだのに、あなた方の天の父は彼らを養ってくださる。あなた方は彼らよりも、はるかに優れたものではないか」。

しかし我々はかくのごとき不安に満ちた世界で、一筋の光が未来の闇を照らすのをどれほど待ちわびていることか。だが、未来を把握することは幻に過ぎず、不確実性こそが現実だ。では、我々はいかにして不安と付き合えばよいのか。

日本の精神科医、森田正馬は森田療法を創始した。彼は人生の不安と向き合うことは、この種の不安を断ち切ったり消し去ったりすることではなく、不安を受け入れることである、とした。不安を抱えたまま自分がするべきことをし、自分の人生の価値を見出していけば、不安は次第に薄れていく。不安に抵抗するのではない。不安を解決し断ち切るための証拠を探せば不安を強化するだけであって、不安に抗っているうちにますます不安が強くなる。だから不安を受容し、すべきことをして、不安の中にも自分の価値を見つけ、品性を養い、成り行きに任せる。世間で何があろうとも、自分の心を乱さない。

事実だけが真実だ。我々は自分の気持ちを変えることはできないが、行動を変えることはできる。積極的に仕事をし体を動かすことができる。やりがいのある仕事は不安を変化させる。汗だくになった運動会が多くの心配を洗い流す。事業での挫折や生活面での不遇、突発的な出来事などをすべて受け入れ、逃げず、否定も抵抗もせず、成り行きに任せ、不安や痛みとともに今を生き、できるだけ楽しく毎日を過ごす。

このような不安の時代に、我々は不安を取り除くことはできない。我々の頭は無限に「昇華」できるし、無限に「恐るべき光景」を想像することができる。数えきれないほどの不安の脚本を作り出すことができる。しかし、事実のみを真実として物事を見つめ、平然と現実に向き合い、事実を受容し、流れに任せる。そうやってこそ我々は、現実に打ちのめされてしまう前に自分で心を壊すことなく、この艱難の時代を生きぬくことができる。苦難をやり過ごし、苦労の塵を払い落とせば、美しさは変わらぬままなのだ。

日本人の臨終の選択

毛丹青

墓地には色彩がある、と私は常々感じている。雨の日だろうと風の日だろうと、日本人が骨壺を手に一歩一歩墓地へ続く小道を歩いているとき、目の前にすぐさま鬼火が発生しそうな気がする。とは言っても、何年たっても肉眼でこの種の色彩を見たことはないのだが……。確実なことは一つ、私は墓地に色彩があると感じていて、ただ具体的にどんな色彩なのかはうまく言えないが、色と彩は時に分離し、時に空虚で、空気が絶対に存在しているのに見えないのと同じだということだ。

二〇一八年の夏の夕方、愛知県称念寺の僧が民家で散骨の法要を営み、故人を弔った。故人が私の熱心な読者だから来るように、と彼は言った。会ったことがなくても、魂の次元ではお互いに知り合いで、見知らぬ人ではない、とその僧侶が言った。彼の名は伊勢徳、称念寺第十七代住持。時には全身黒ずくめの袈裟をまとい、口調は穏やかで、目は半眼に開き、特に話が長くなると自己陶酔して私に言った。死者は物質的に消え去ったのだと思わないでください、実際にはあなたを迎える呼びかけをしているのです、と。

「迎えるとはどういうことですか」私は問うた。

「此岸が心を込めて彼岸へと迎え入れられること、あるいは此岸と彼岸がその方がお亡くなりになった瞬間につながること、この情景はその方の最後の眼の光から放たれるのです」と和尚は言った。

「あなたは、その方が臨終を迎えるとき、ずっとそばにいたのですか」私は続けて問うた。

「そうです。ご遺族が電話で、もう危篤だから私に読経してほしいと言いました。故人は生前仏教を信仰されていて、お寺のためにたくさんのことをしてくださいました。善行厚いお方でした。私はすぐに原付に乗って故人のお宅へ向かいました。お幸せなことに、ご家族に見守られ、線香の煙が立ち上る中、故人はいつになく落ち着いており、その場に立ち会った人々にも、故人が痛みを感じていないことが分かりました。ペットの犬でさえ、鳴くことなく、ご家族とともに静かに故人を見つめ、時々私の方も見ていました」と和尚は答えた。

和尚はほかにも、御仏を信じる日本人には臨終に際して二つの選択肢があると言った。一つは身体が持たず病院に入れられ、延命措置の功なく息を引き取ること、もう一つは、治療を放棄して家族とともに過ごし、僧侶たちが朗々と読経する中お迎えを受けること。

私は好奇心から、再び問うた。住持のほかに、そんなにたくさんの僧侶が出られるのですか、と。私の問いを聞くや、伊勢徳住持は大笑いした。ほかの僧侶はアルバイトですよ、若い僧侶たちは私と様々な法事に出席して修行を積みます、もちろんバイト代も出ます、と。

住持の話は少しもおかしいことではない。寺院の住持の格は非常に高く、財政を管掌し、三千大千世界のどんな場所を行き来してもいささかの妨げもなく、さらに寺院の収入は非課税、聞くところでは、これは魂に対する最も崇高な敬意の現れであるそうだ。

一般的に寺院の階段は高く、特に山里では寺院に着くまで平地がないというか、「寺院に登る」かのように思われる。

仏への祈りの心はこの「登る」ことに始まるのかもしれない。階段は山門のために作られたもので、一方は俗世、一方は聖域である。両者の間の一段一段の階段はその距離を引き離し、最後には視線も遮られる。階段を上らなければ俗世を離れられないし、神聖な境内を見ることもできない。

寺院の建造は、周密な測量を経て、相当の計算の上で今のような版図が構成されている。だからこそ、生きとし生けるものが敬慕して参詣し、はるか昔から今に至るまで続いてきたのだ。住持は外に出て法事を執り行う際は、寺院に身を置く感覚は心の底にしまいこんで、不思議な力を持つかのように思われる。

この話は称念寺の伊勢徳住持が私に話してくれたもので、大まかな意味は、仏に仕える者がまず考えるべきことは世俗的なことであって、聖人君子のことではない。聖と俗の価値は等しく、大切なことは自分の心の感じ方にある。寺院は手の届かない場所にあると思う必要はなく、全ての人々が心から経を読むことこそが最も崇高なのだ、というものだ。

住持の見解を聞いて、私は長野県の善光寺を思い出した。善光寺の中は採光が独特で薄暗い。

その日私は朝早く出発した。早朝にしたのは、現地の方がこの寺院が最も輝いて見えるのは日の出の時間だと教えてくれたからだ。偶然にもその日は小雪が舞い、空はもう白けていた。

冷たく澄んだ空気は、上ってくる太陽と先を争うかのように寺院を輝かせる役目を演じた。字面からして、善光寺は「善行」と「光芒」の組み合わせだ。寺院の大堂はほの暗く、私のカメラが大堂の奥へと入った時、レンズを通して見えた画像は真っ黒であった。日本の寺院は大堂を「御影堂」と呼ぶ。なるほど、大堂が薄暗いわけだ。日本語の「影」は暗影を指し、寺院の大堂にまつられる概念に等しい。

寺院の僧侶の列が石畳を通るとき、朝日が彼らの顔を照らした。濡れた石畳に反射した光が、彼らの足元に広がる参道に鱗のような光彩を広げた。私は、僧侶たちと門徒の方々はともに明るい場所へ入っていくのかと思った。中国の大雄宝殿のような荘厳で広い場所とはいかなくても、ヨーロッパの教会のような高くまっすぐにそびえ、剣のような冷たい光とはいかなくても、少なくとも一緒に暖を取って休める場所なのだろうと思った。ところが、日本人はそうは思わないようだ。影に対する概念の理解はもう私の予想を超えていた。

話を再び称念寺に戻そう。その晩、ちょうど月が上ったころ、伊勢徳住持はそっと骨壺を抱え、中の遺骨を墓碑銘の下の土の中に撒いた。この時確かに一筋の光が走った。ただ、眼に見えたわけではなく、心で感じ取ったものだが。

伊勢徳住持は「無縁墓」について話してくれたことがある。これは、山奥に棄てられた墓碑で、元の墓碑や墓地が何らかの理由で人々に忘れ去られ、カラスの大群の山となっているところも含まれるそうだ。

住持は言った。これから無縁墓を見に行くといいですよ、もしかすると、本当に彼岸が発する色彩が見えるかもしれません。何も見えないという感覚とは違うかもしれません。昔から、無縁墓の可視度は高いのです、と。

「なぜですか」私はあわてて問うた。

住持はすぐに次のように答えてくれた。「無縁だからです。無縁は干渉がないに等しく、干渉がないのは純粋に等しく、純粋な色彩は見た目は無色かもしれませんが、色があるはずです。この世で最も美しい色です」と。

伊勢徳住持の話を聞いて、一気に疑問が解けたというところまではいかなかったが、世俗と神聖の間に中間地帯があって、色彩で感覚とつながり、それはずっと消えない、何となくそのように理解した。

新しい交友形態——共同墓地

万景路

近頃、「墓友」という言葉が、日本の老人たちの間でよく使われるようになった。「墓友」についての議論も自然と熱くなった。では、「墓友」とは何だろうか。「墓友」はこれからどのように発展していくのか。この現象が日本社会にどのような影響をもたらすのだろうか。

墓友の概念

墓友とは、同じような死生観を持つ老人たちが共同出資して購入した墓地に、死後、共に入ることを前提とした一種の交友形式であり、日本人の新しい交友関係の形だと言える。しかし、この交友形態は非常に気味が悪い。というのも、「墓地をシェアする」基礎の上に立つものだからだ。

実は、「墓友」という言葉は以前からある。二〇〇五年、作家の三浦展がその著作『下流社会』の中で、白髪の老人たちの経済享受について討論した時、初めて「墓友」の概念を提示した。二〇一四年フジテレビは「世にも奇妙な物語・春の特別編」で「墓友」をテーマにした、センセーショナルな番組を制作し、今もネット上では話題になっている。

近年では、日本の高齢化に伴って少子化問題も顕著になり、一人暮らしの老人の生活への不安が高まっている。それで、「墓友」という言葉が高齢の単身の老人の間で流行し、「墓友現象」が巻き起こった。その影響を受けて、「墓友現象」は今、日本社会全体を巻き込んで議論されるまでになった。

「墓友現象」が起きた原因

墓友が日本社会で話題になった原因のひとつは、長生きによって独り身の老人が増加の一途をたどり、それに伴って子ども世代が死後の後始末などをしたくないと思うようになったことに起因する。

多くの独り身の高齢者は生涯未婚の人、離婚した人、配偶者を亡くした人や離婚を迫られた人などさまざまだが、どのような原因であっても、日本人が長生きであることから、数としては増加傾向にある。総務省の最新の調査によると、日本の六十五歳以上の女性のうち五人に一人が単身者で、男性の比率は女性より低いが、六十五歳以上の男性の十人に一人は単身者である。熟年離婚現象が増えるにつれ、定年後の男性が三下り半を突き付けられることが増え、これも単身の男性高齢者が増加傾向にあることを意味する。

このように高齢者が持続的に増加する状態の中、日本社会のかつての大家族での生活様式の瓦解によって、少子化がまた大きな社会問題となり、墓地の継承者がいない家族が増えた。たとえ後継者がいても、若い人は血縁関係を重視しないので、葬儀や家族墓の管理費用の負担を拒むようになっている。そのため、高齢者は、死後に墓参りをしてくれる人がいない、墓地の管理者がいない、などの問題に直面している。高齢者は死後に無縁仏になることを懸念して、同じ境遇の人たちと出資して墓を買い、同じ墓に入るという苦肉の策を考え、「墓友現象」が起きたのだ。高齢者は句会、老人センター及び各種の活動や学びの場で志を同じくする「墓友」を探し、死後の問題を解決することで、最期を安心して迎えこの世を去ることができるのだ。

世論やメディアから見て取れるのだが、日本の高齢女性は気の合う墓友さがしに興味津々だ。それは、日本では通常、単身の女性は男性よりも家族墓に入ることが困難であるからだ。かつては、単身女性が家族墓になんとか入れたとしても、おいなどに墓の世話を任せるよりほかなかった。中央大学の山田昌弘教授が指摘したように、今の若者はますます血のつながりを軽視するようになって、家族墓地などに関心を持たなくなり、成人後に墓地を継承して先祖を祀らせることはもとより、一生独身で死後に家族の墓に入りたいと願う年長の女性の祭祀などはもっと嫌がる。女性の同僚がかつて話してくれたことであるが、彼女の独身の妹が墓地を購入しようとしたとき、一人っ子のおいに、少しお金を出すので、死後のことを託して墓の世話をするよう頼んだが、きっぱり断られたそうだ。

ほかにも、多くの単身高齢女性が「熟年離婚」の例を作り出したために、夫の家の墓にも入れず、実家の墓にも入れず、息子や娘もあてにできなくなっている。また、一部の高齢女性は、離婚はしていないものの、どうしても夫の家の墓には入りたくないと言う。生きている間に夫や婚家に尽くしたのだから、死んだ後まで夫と同じ墓に入って、大嫌いな姑に会いたくないのだ。こういった現実的な理由から、日本の単身の高齢女性は否応なく自分の墓を準備する必要があり、孤独を振り払い、費用を節約するために墓友を求め、合葬を望む風潮が生まれた。このような女性も「墓友」探しに熱心な新鋭軍らしい。

そして、「墓友」現象がブームになった決定的な要因が、先に述べた「費用」の問題だ。高齢化社会が進むにつれ、日本の墓地の面積と死亡者数の比率がバランスを失いはじめた。墓地の価格も年を追うごとに値上がりしている。国立社会保障・人口問題研究所の推計では、二〇一〇年から二〇一九年までの、必要な墓地の総面積は六百五十万平方メートルで、これは東京ドーム百三十九個分に相当する。

考えてみると、猫の額ほどの土地でも高額な日本では、この推計の通りになったら大変恐ろしいことになり、墓地の価格が上昇を続けるのも必然である。しかも、現代の生活は忙しく、郊外や農村に墓地を購入しても、墓参りや墓地の管理が不便なため、都市に生活する人々の多くはこの種の形式をやめてしまった。それで、都市部で公共の墓地を買うことが多くの高齢者の理想的な選択肢になった。しかし、ここで一つ、日本人が口に出しにくい問題が出てきた。墓地の価格が上がり続け、多くの老人はお金がなくて墓地を買えず、もしもどうしても自分で墓地を買わなければならないとしたら、死ぬこともできなくなる。それで、「墓友」や「共同墓地」といった「天下のお骨をすべて笑顔にする」人にやさしい方法が出現し、すぐさま熱い話題となって、高齢者たち青眼の目標となった。

共同墓地は決して新しいものではない

「墓友」や「共同墓地」はここ数年の間に出現した新語ではあるが、「墓友」と「共同墓地」の現象は日本では早くから存在していた。例えば、大阪市天王寺区の一心寺は明治時代の一八八七年創立で、中が空洞になっている「お骨佛」を造立し、故人の遺骨を納めている。この「お骨佛」には一万人分の遺骨を納めることができる。今では十四基の「お骨佛」がある。二〇〇七年から二〇一六年の間に、全部で二十二・三万人もが「お骨佛」に自分や家族の骨壺を納めたいと申請したらしい。この「お骨佛」はある意味、日本で最初の「共同墓地」と言える。

一八八七年造立の一心寺の「お骨佛」を「共同墓地」であるとするのが少し無理があるのなら、単身女性のために開設された東京都府中市の公共墓地は、今でいう小型の「共同墓地」に符合するであろう。この公共墓地はエッセイストの松原惇子が設計し、一九九八年に開設された。楕円形の白い墓碑の周りにはバラが植えられ、全ての墓地に女性らしさがあふれている。この墓地に「入居」するには、「永代管理費」と「永代供養費」合計二十五万円を支払う必要がある。会員は九百人で、全て五十代から六十代の単身女性だ。定期的に座談会を開いて未来の隣人との理解を深め、死後の「住居」の問題について話し合う。

二〇一二年初め、東京都多摩地区の都立墓地小平霊園は、美しい「樹木葬」形式の「共同墓地」を新たに打ち出した。これは「墓のシェア」に非常に近いものだ。小平霊園内の椿や桜などの樹木の下に、一つの墓地に五人から十人の骨壺を納める幅一・五メートル、深さ二メートルほどの「合葬埋蔵施設」を作り、一期で五百の「合葬埋蔵施設」を設けた。環境が良く、価格も手頃だったので、当時は八千人以上が埋葬の申請に訪れた。

最近「墓友」の話題で大討論を引き起こした大洞龍徳は、東京都荒川区町屋の光明寺の住持であるが、住持の言うことには、ある一人の女性から「共同墓地」創設のインスピレーションを受けたらしい。その女性は同性愛者で、年も取ったことから終の棲家の問題について考えるようになったのだが、一人で墓の費用を負担するのは経済的に難しく、「もしも友達と一緒にお墓に入れたら」と思ったそうだ。これを聞いた想像力たくましい大洞龍徳和尚は、自分の寺で「共同墓地」をやってみることにした。その結果、この試みは光明寺の衆生をあまねく救済する一大事業となった。現在光明寺では千五百の墓地の代理販売を開始しており、一つの墓地に最大六つの骨壺を納めることができる。このプランは、高齢者の後顧の憂いを解決しただけでなく、寺院に収益をもたらし、寺院が副収入を得るために積極的に行う新たな業務となった。

「墓友」と「共同墓地」の現実的な意義

「墓友」の出現と発展は、日本の高齢化社会の行き詰まりを示している。高齢者は孤独や不安の中にあり、生前の孤独や不安が死後の世界でも続くのではないかと恐れている。そこで「墓友」現象が起き、多くの高齢者が我さきにと「墓友」探しに奔走した。「共同墓地」も同じだ。この「安心プロジェクト」で高齢者たちは心のよりどころができた。そして、死とはまだほど遠い、老年期に差し掛かったばかりの人々まで「墓友探し」「共同墓地の選定」といった死後の準備に夢中になり始めている……。

もちろん、「墓友」や「共同墓地」現象はプラスの意味がある。「墓友」がいれば高齢者たちは安心するし、穏やかな気持ちで臨終のときを待つことができ、社会の安定にプラスの作用をもたらした。手頃な価格も、高齢者たちの安心材料となったし、日本の土地不足の問題もいくらか解消できた。そのため、日本の多くの宗教団体、企業、非営利組織も、国にも国民にも優しいこの事業に身を投じている。近い将来、日本の高齢者の多くが、死後の心配がなくなり、余生を楽しく過ごすことができるようになるだろう。

「墓友」と「共同墓地」が反映する負の面

「墓友」と「共同墓地」の出現は、プラス面もあるが、今日の日本社会のマイナス面も反映している。つまり、家族の情が薄れ、人が冷酷になっているという現実だ。日本の若者は実家に帰りたがらず、結婚願望もなく、子どもを産みたがらない。一方、第二の青春を求め「熟年離婚」する現象も年を追うごとに増加しており、日本社会の冷酷な負の面を映し出している。この影響で、日本の高齢者は孤独になり、「血縁」に頼れず、「生まれは違うが同じ穴で死ぬ」という「墓友」を選ぶ。この意味からすると、日本の高齢者は、李清照の詩にあるように「凄凄惨惨戚戚」（「苦悩する」の意）である。

しかし、結局、高齢者の今は若者の未来そのものではないだろうか。日本は「人生百年」時代を迎え、高齢者はどんどん増加した。反対に出生率は年々低下し、二極化が進んで、その中間層の出産適齢期の男女は結婚や出産を望まない現象が起き、若者は次第に親子の情や血のつながりに冷淡になっている。この面からみると、日本は「死ぬことができる」問題は著しい解決を見たが、社会や家庭といった道徳面は改善の兆しが見られない。この面においては、日本の将来はまだ憂慮すべき状態である。

第五章　日本人の生活の色

日本人は一年間に八千字の新漢字を創作した

姜建強

日本の報道によると、二〇一六年に京都でオープンした漢字ミュージアムには、たった一年の間に八千字の創作漢字が寄せられたという。このニュースに人々は驚いたが、それは、日本でまた漢字ブームが巻き起こり、漢字に興味を持つ人が増えてきたということでもある。「国字」というものがあるが、今は、「私字」なのである。日本人は、遊び心をもって漢字を楽しむと同時に、漢字に新しい命を吹き込むのだ。

例えば、△の中に「米」と書く字の意味は何か?

答は「おにぎり」である。

また、上に「休」下に「父」と書けば、それは「パチンコ」という意味の字になる。なぜなら、日本人の父親の多くは、休日になると運試しにパチンコをしに行くからである。もちろん、このような漢字は非公式な「自作漢字」ではあるが、すべてのものを符号化しようという創意の表れでもある。

実のところ、日本人は漢字に対して、ある種の居心地の悪さを感じている。それは、一つには、漢字が太古の時代から今日に至るまで生命力を保っているからであり、もう一つには、その漢字が中国に由来するものであることにわだかまりがあるからだ。高島俊男はその著書『漢字と日本人』の中で、「漢字は、日本語にとってやっかいな重荷である。しかし、この重荷を切除すれば日本語は幼児化する。へたをすれば死ぬ」と言っているがそのとおりである。そこで、日本人は独自の思考で、絶えず新しい漢字やその用法を生み出してきた。

こういうところに、日本人の聡明さと才気が見て取れる。例えば、漢字の創作において、日本人は、漢字の本家顔負けの力を発揮している。一方、普通の日本人は、漢字を使い続けているから、日本における漢字産業は安泰である。これも間違いのない事実である。

さらに大事なのは、論理性に富む漢字が感覚的な日本語と出会うことで起きた物理的反応が、意外なものであることだ。陰陽が相克する場合もあるが、融合し、関係を持つことの方が多い。

例えば、日本の小学校には次のような漢字の問題がある。「□肉□食」の□に漢字を入れさせるのだ。ある小学生が、そこに「焼」と「定」を入れて、「焼肉定食」と解答した。先生は当然ながら×をつけた。正解は「弱」と「強」を入れて、「弱肉強食」という成語にすることだ。なぜ「焼肉定食」は成語にはならないのか。学者の橋本陽介はその著書『日本語の謎を解く』の中で、「これは形態的緊密性の問題である」と言っている。「焼肉の定食」や「焼肉のおいしい定食」と言えるように、焼肉と定食の間には他の言葉を入れることができる。

しかし、成語である「弱肉強食」の場合、「弱肉」と「強食」は切り離すことができない。このような形態的緊密性のために、「弱肉的強食」や「強食的弱肉」とは言えないのである。「弱肉強食」は、唐の時代の韓愈の『送浮屠文暢師序（浮屠の文暢師を送るの序）』の中の「弱之肉強之食（弱きの肉は、強きの食なり）」にあるものだ。韓愈の言葉は、弱肉と強食の間に「之」という字があるから、形態的緊密性のカテゴリーには含まれず、普通の表現である。しかし、「弱肉強食」という言葉は、ダーウィンの進化論を引用した社会進化論の通俗的な表現として定着したのである。

小学生が書いた「焼肉定食」は、字義から見れば意味が通らないことはない。例えば、「今日のお昼何を食べた？」と聞かれて、「叙々苑の焼肉定食」と答えるのは何ら問題がない。しかし、四字熟語のテスト問題の場合、四字熟語を知っているかどうかを見るのである。したがって、ここには形態的緊密性と要素還元不可能性の問題が存在する。このように、日本人の漢字・漢文の学び方には、我々と異なるところがある。

次に、たまごを例に挙げる。日本では、「玉子」「卵」という二つの漢字がある。調理する前を「卵」、調理したものを「玉子」と書くことが多い。スーパーでは、「卵」や「たまご」と表示することが多く、「玉子」はほとんど見かけない。しかし、料理店では「味付け玉子」のように「玉子」と表示するし、寿司屋には「玉子焼き」のように書かれている。日本人は、「たまご」「卵」「玉子」を中国語の「蛋」の意味として用いる。しかし、ひらがなで表記する場合が多くても、「蛋白質」と書くように、「蛋」という漢字をまったく用いないわけではない。

言葉に宿る力を、日本人は「言霊」と呼ぶ。日本人は、言葉には生命力があり、それは言葉に内在する神霊のものだと信じている。日本人は、自分たちの言葉である日本語を「美しい言葉」であるとよく言うが、論理的に考えるなら、この美しい日本語の形成は、「言霊」と関係がある。日本の学生が「親鸞」聖人をあまり好まない理由の一つに、「鸞」という字の画数が三十以上あって複雑であるということが挙げられる。その反面、この聖人がこう名乗ったのは、きっと他の僧侶より教養があるからだと、日本人は漢字から連想するのである。

日本では医療が発達し、臓器移植は珍しくなくなった。「献体」「献腎」「献眼」など、これに関する新語も次々と登場している。ビール好きな日本人は、肝臓をゆっくり休めるために、「休肝日」という言葉も生み出した。死亡確認も「心臓死」だけではなくなり、「脳死」という言葉も登場した。女性の豊満な乳房を「巨乳」「爆乳」「超乳」というようにいろいろな漢字で表現することから、乳房が赤ん坊を養育する器官から性愛の器官になったことがわかる。巨乳の女性が年を取ると、重力の関係で乳房が下垂する。これは残酷な事実でもある。そこで日本人は「垂乳根」という言葉を生み出し、年老いた母親の代名詞として用いた。読み方は「たらちね」である。

町でよく見かけるファーストフード店の松屋の店内に入ると、大きなポスターが目に飛び込んでくる。まず、「無添加」であることを述べ、その後に、どのように「無添加」であるのか説明されている。「合成着色料不使用」「合成保存料不使用」「化学調味料不使用」「人工甘味料不使用」という具合である。松屋は中国人のための店なのか？　そうではない。こんなところからも、日本人の漢字や漢文のレベルに感心する。

冬のスーパーには、「厳寒厳選」と大書した横断幕がかかる。これを見れば、日本人が漢字の音と意味から、意図することを表現することが得意であることがわかる。靴屋の広告には「防水・防寒・防滑」とある。この三つの「防」は、我々の言葉と同様、とても言いやすい。スーツケース売り場では、新製品を「増・雅・量・軽・止・快」の六つの漢字を用いて紹介してあった。どれもドンピシャリの用い方である。

白川郷で遊んだときには、部屋の壁に「白川村消防団中部分団第四班」とあった。中国から来た観光客は、自分たちが中国国内にいると錯覚しそうになった。

日本人は、菓子を包装して「菓心遊楽」と名付け、「継往開来」を説き、「美白以上・乳液未満」という言葉で美容の心を表現する。そして、「侵入泥棒追放重点地区」と表現して、この地域には、侵入盗が多いことをアピールする。もっとも、中国人には、「泥棒追放」の意味がわからないのであるが。さらにまた、日本人は「優」のような繁体字を使い、画数の多さに陶酔する。詩心で店の名を「一夜一夜」「心花洞」としたりする。俳句の洒脱さを真似て、銘菓に「反魂旦」と名付けたりもする。これは、中国人には発音が似た「反混蛋（反愚か者）」を連想させてしまう。

日本人も「新装開店」「青椒肉絲」「所用時間」というようにストレートな表現をすることもある。東京駅の案内には、「新幹線」という表示が二つと、「新干线」という表示が一つある。最初の「新幹線」は日本人に、二つ目の「新幹線」は、繁体字を使用する香港や台湾から来た人に、三つ目の簡体字「新干线」は、中国大陸から来た人に見てもらうためのものだ。

日本人の言葉の細やかさは、災害時の用語にも見ることができる。自治会が公園に貼り出した地震発生時の注意の告示には、「容器をご持参の上、中央公園にご参集ください」とある。非漢字圏から来た外国人が理解するのは難しい。「中央公園」という四つの漢字以外は、意味がよくわからない。きわめて普通の公文書ではあるが、非漢字圏の人にはふさわしくない。

そこで、この表現は、「入れるものを持って、中央公園に集まってください」に改められた。十一文字あった漢字が七文字に減っただけであるが、たった四文字だけと侮ってはいけない。これでやっと非漢字圏の人にも、災害時の言葉が理解できるようになったのだ。漢字には、漢字であるがための「重さ」があるようだ。日本人はこれに気付き、臨機応変に修正を加え、自信を持って表現をしている。

この十余年の間に、日本人は「々」という字の使用を控えるようになった。「鬱々」は「鬱鬱」、「轟々」は「轟轟」という具合である。テレビ朝日系列のドラマ『轟轟戦隊ボウケンジャー』はその一例だ。これは、規則を守ろうという意識より、漢字の持つ表現力や印象といったものを考慮してのことだ。主に幽霊や妖怪を描く京極夏彦の漢字能力は飛び抜けて高い。『百鬼夜行――陽』はかなり分厚い小説であるが、その中に「恐怖が悔恨が怒気が苦痛が悲哀」という一文がある。もしここから、「が」を取り除いたら、まるで「恐怖、悔恨、怒気、苦痛、悲哀」と中国語で作文をしているようになる。絶賛したいのは、「キラキラ」を「綺羅綺羅」と漢字表記したことで、青鷺火(あおさぎび)の神秘性がよく表現できている。

外で食事をすることを「外食」と言い、これは一九九〇年に始まった。お店からテイクアウトして食べることを「中食」と言い、これは二〇〇六年からだ。仕事が終わったらまっすぐに帰って家で食べることを「内食」と言って、最近流行している呼び方である。外食―中食―内食と控えめになっているのがわかる。また、中国語の「領奬台」は、日本語では「表彰台」のことである。前者は選手の視点から見た言い方で、後者は賞を授与する側から見た言い方である。中国語の「広告牌」は日本語では「看板」になる。前者は、広告主の視点で、後者は通行人の視点である。中国語の「参観須知」は、日本語では、「利用案内」である。前者は、対象を参加者に限定しているが、後者では参加者へのお願いであるとともに、施設の紹介も兼ねたものになっている。

このような漢字の組合せから、論理性よりも感受性が強い文化の心が見えてくる。中でも象徴的なのは「侘」と「寂」に表現される精神世界である。古色蒼然としていく過程が日本人のいう侘びである。そして寂とは、「朽」と同じ意味で、鉄さびがぽろぽろと落ちていきやがて消滅する、その前の美しさのことである。このように見ると、日本人が一年に八千字を創作するというのは、漢字で遊ぶというより、心をかたくなに守ろうとする焦りであるという方がよいかもしれない。

美しい色の名前は、自然に由来する

万景路

大手アパレル企業によるトレンドカラーに関するレポートに、この夏の女性のファッションの流行色は、「伝統色」を主としたいくつかの色になるという予想があった。それを踏まえてそのアパレル企業は、自社でデザインと縫製をした「藤色」「柳色」「縹色」「菖蒲色」という四つの伝統色のすっきりとした麻のワンピースを発表した。しかも、麻布は滋賀県東近江の染色工場のもの指定だ。なぜなら、日本でもその工場だけが、洗いざらした麻の自然の風合いを保つ技術を持っているからである。企業の予想は当たった。その年の、伝統色に染められた麻布のワンピースはどれもさわやかで、その色の美しさは、たくさんの人を魅了したのだ。

先に書いた「藤色」「柳色」「縹色」「菖蒲色」のうち、藤色とは「青紫色」、柳色は「青緑色」、縹色は「淡い青色」、菖蒲色は「赤みがかった紫色」を指す。色の名前を、植物や動物の姿形で表現することで、イメージがしやすくなり、親しみがわき、わかりやすく美しさが伝わって、聞いていてもとても新鮮である。こういった色の分け方こそが「日本の伝統色」なのだ。

財団法人日本色彩研究所の資料によると、日本文化の色彩感覚に基づく「日本の伝統色」は、今日、およそ一千百余りの種類があるという。この伝統色の命名の仕方は、日本人に言わせれば、日本社会の伝統文化や今にいたる日常生活の蓄積を作り替えたものだ。遠い昔、日本人が自然の近くで生活していた頃、彼らは四季の変化を気に留めつつ、自然の美しさを愛で、自分の着物に自然の色を用いた。またその色で色彩を認識し、色の命名をしてきた。これが、伝統色の萌芽と言えるだろう。

大自然の色はどれもいとおしい。特に、火山の噴火や地震が頻発することから、古代日本人は世の中の美しいものを大切にするようになった。大自然に対し特に敏感な日本人は、時には極端な、時には日常的な現象の中の、瞬間的あるいは恒久的な美しい色彩を捉え、そのイメージを生活の中のいろいろなものに描いたのだ。そして、和服や小物に広く用いられている伝統工芸品のイメージを持つ色彩こそが、伝統色そのものなのだ。それは、見る者に、自然の生き生きとした姿を感じさせる。

平安時代から、日本の伝統色の呼称は、日本の古典文学に日常的に登場するようになる。それは、その後千年の時を経て、沈殿し洗練された。繊細で感性豊かな日本人は、日常生活の中で、動植物から採った色を使って生活していた。その範囲は、しだいに広がり、色の種類もますます増えた。そして、今のような、日本文化独特の伝統色となった。

日本語は、漢字、ひらがな、カタカナの入り交じる、起伏ある連山に小川の流れるような言葉である。そこに、桜色、山吹色、鶯(うぐいす)色、曙色、露草色、東雲(しののめ)色、朱鷺色、江戸紫、浅葱(あさぎ)色、勿忘草(わすれなぐさ)色、萌葱(もえぎ)色、海松(みる)色、楊梅(やまもも)色、媚茶(こびちゃ)色、狐色、白鼠(しろねず)色などをはめ込むと、伝統的な色彩の名前が持つ色の感覚や立体感によって視覚や聴覚が刺激され、日本語がより豊かに感じられる。

おいしい料理も美女も、独占はいけない。だから、ここで筆者は、おもしろい伝統色を紹介しようと思う。もしかしたら、皆さんにも、仕事の合間にふと足を止めて周囲を見回したときに、四季が自分の周りを巡るように、自分が美しい色彩に囲まれていることに気付いてもらえるかもしれない。

まず、日本人が尊いとして崇拝する「藤色」について見ていこう。藤色が「尊い」とされるのは、「藤」が平安時代権勢を誇った藤原氏の「藤」に通じるからである。これにより、藤色は日本でも高貴で貴族を象徴する色となった。言い換えると、古代社会において服装や道具に藤色を使うことができたのは、貴族の男女のみだったのだ。平安文学を代表する『枕草子』にも、紫の和紙に和歌を記すという記載がある。さらに、その恋文に藤の花を結び付けて贈り合うのだ。淡くて優しい藤色は、確かに女性の美しさを際立たせる。現代において藤色は貴族が独占する色ではなくなり、女性が好む伝統色の一つになった。彼女たちのバッグに、いろいろな藤色のアクセサリーが付いているのをよく見かける。夏、麻でできた藤色のワンピースを着て、藤色の小さな扇子を持っている姿は、現代女性をより高貴で優雅に見せる。そして、かぎりなく風情を感じさせる。藤色には、伝統色の他に、「紺藤」「淡藤」「白藤」等がある。毎年藤の季節になると、日本各地の藤の名所をたくさんの人が訪れる。藤棚の下、藤を愛でながらお茶を飲んだり、和歌を詠んだり、藤紙の書を懐に入れたり、この優雅さは永遠である。

藤色と言えば、江戸時代に登場した伝統色「江戸紫」のことを話さないわけにはいかない。当時『伊勢物語』に出てくる和歌の影響で、紫草は武蔵野（東京郊外。昭和天皇の御陵墓がある）を象徴する色になっていた。そこで、江戸の人々は、より藍色に近い新しい紫色を研究開発し、誇らしげに「江戸紫」

別名を「今紫」と命名した。これは、京都の京紫と区別するためのものでもある。当時、歌舞伎役者の髪飾りや衣装によく用いられていた。この色は、よく見かけるが組合せが難しく、また優雅な中にも重々しさがあるので、儀式の場でよく使われている。例えば政府の記者会見の壁に掛けられる幕、大事な場面でのテーブルクロス等として、この「江戸紫」が使われることが多い。

また、「藤色」に近い伝統色として、「桔梗色」がある。桔梗色は藤色より暗い紫色だ。桔梗の花は、夏から秋にかけて釣り鐘のような紫色の花を咲かせる。朝霧の中桔梗の花を見ると、まるで青紫色の葡萄が目の前で見え隠れしているように感じられる。桔梗色の名前はここから採られたのである。皇居に桔梗門があることからも、日本人が桔梗色を大切にしていることがわかる。また、これにより、桔梗色が青紫系の色の中でも代表的な伝統色として位置付けられていることが証明できる。

明け方といえば、自然にある伝統色が思い浮かぶ。それは「東雲色」である。これは、日の出の東の空を象徴する黄赤色で、生命の始まりと輪廻を示している。東雲色は「曙色」とも言われるが、どのように呼ぼうが、名称も色も実に美しい。もしこの色をお酒に垂らしたら、筆者が以前飲んだカクテルのテキーラ・サンライズそっくりになるだろう。これは、江戸時代に登場した斬新な伝統色の名前である。明け方の美しさを切り取って命名した江戸の人々の知恵に感動するし、また、その光景にふさわしいテキーラ・サンライズを飲みたくもなる。

他にも面白い伝統色がある。それは黄みの強い色彩で、「山吹色」といい、山吹の花の色をしている。この色は、黄色と桔梗色の間の色で、暖かみを感じさせる明るい黄色である。平安時代の女性は、よく山吹を髪飾りにしていたということだ。山吹の花は、春爛漫の頃に満開を迎えるため、山吹は春を代表するものとして、春の「季語」にもなっている。『万葉集』で歌われた短歌は十七首あるということだ。俳句でもっとも有名なのは、江戸時代の俳人松尾芭蕉が詠んだ、「ほろほろと山吹ちるか滝の音」という句である。こういったことから、山吹が日本の伝統色であることは間違いない。

その他の伝統色として「女郎花色（おみなえし）」がある。これも黄色の仲間ではあるがむしろレモン色ともいえる色で、黄色と淡黄色の中間のさっぱりとした感じの色である。この名を聞くと、黄色いスカートの若い女性の、レモンのような香りが一陣の風に吹かれて漂ってくるように思われて、夏の炎天下でも爽やかな気持ちになる。この伝統色も平安時代に生まれたもので、「女郎花」と呼ばれていた。それは、当時の身分の高い女性が好んで身に付けた衣服の色だからだ。

黄色系の話はここまでにして、他の伝統色を見ていこう。

「一重梅」は、咲いたばかりの梅の花の色で、紅梅色と薄紅梅色の中間の色である。この伝統色は、平安時代、貴族の女性が、冬から春に移る梅の花が満開の頃に着る衣服の色で、平安文学にもよく登場する。清楚な中にも、高貴さがあり、今日でもたくさんの日本女性に愛されている。梅の花と関係のある伝統色には、他に「梅重」「雪下紅梅」「梅鼠」等がある。このような梅の花にまつわる伝統色の名前を聞いて、想像を膨らませない人はいない。

「撫子色（なでしこ）」も平安時代に始まった伝統色の名であるが、起源は中国の石竹科（せきちく）（日本語ではナデシコ科）の植物「瞿麦（くばく）」にあるという。だから、日本では「唐撫子（からなでしこ）」または「石竹色」「瞿麦色」とも呼ばれている。この花は、ピンクあるいは桃色に近い色をしている。ナデシコ科の植物は、総じて小さく、上品で美しいが、撫子色という名前も、このような人に愛される特色から付いたものである。そのため、

「撫子」は美称としてよく使われる。「大和撫子」というのは、日本人が創りだした心の安定剤だ。また、撫子は、「秋の七草」（萩、尾花、葛花、撫子、女郎花、藤袴、桔梗）の一つで、養生の薬としての価値を持つ。

筆者は、撫子色が好きだ。それは、古の京都の雅やしだれ桜、よく描かれる平安時代の少女のほんのりと赤い頬の色を連想させるからである。ともかく、撫子には、なよやかさ、優しさ、美しさがある。撫子色の和服や和アクセサリーが、その上品な美しさゆえに、どれほどたくさんの男性の心を虜にしたことか。同様に、慌ただしい生活の中、若い女性もパソコンや、iPod、イヤホンを愛用しているが、ひんやりとした撫子色をしているそれらが、彼女たちの美しさ優しさを、より際立たせている。

媚茶色は、暖かみのある黄色を帯びた深緑色である。「媚」という字が使われているが、媚びるという意味はまったくない。この名の由来は「昆布茶」であり、昆布茶のような茶色ということで、「媚びる」とは関係がない。「昆布」の音は「こぶ」であるが、方言などの中で、徐々に「こび」に近い音になっていったのだ。だから、この伝統色はもともと「昆布色」であったのが、「媚茶色」へと変わったのだ。実のところ、この「媚茶色」は、草緑色に近く、荒々しい、勇ましい、成熟したというイメージがある。女性がこの色を身にまとうと、「颯爽と」する。これは最高の褒め言葉だ。

江戸時代に登場した伝統色の中に、成熟した男性を表す色がある。すなわち「納戸色」だ。この色は、普通の青よりは少し深く、ライトブルーよりは少し暗くて、見飽きない色である。「納戸に使われた垂れ幕の色」に由来するとされ、伝統的な日本料理店の入り口にかかる暖簾の色に似ている。この色は、汚れが目立ちにくく、重々しい印象があるので、江戸時代も今も、和服の色として非常に人気がある。

白いTシャツに納戸色のジーンズを合わせるのは、男性の、永遠に万人受けするコーディネートである。

それでは、動物に由来する伝統色を見ていこう。「鴇色」は、朱鷺の長い羽の色だ。茶褐色や灰色がかった赤い色で、派手ではないが高貴な感じで、特に古代の貴族女性に好まれた。けばけばしさがないところに豪華さが感じられたのである。現代では、この色のみずみずしさが若い女性によく似合うところから、「女子カラー」とも言われる。淡い感じも若い女性の頬紅の色としてぴったりで、鮮やかな色彩の春の装いによく合い、とても優雅である。鴇色は、女性の肌を美しく見せるだけでなく、マニキュアにもなるし、ハンカチや手鏡といったものにちょっと加えたりすると、美しさが際立つ。一言でいうなら、この色は女性のためのものだ。

「鶯色」は、鶯の羽と同様落ち着いた黄緑色で、梧桐の木の新しい葉のような春の新緑に近い。この伝統色は江戸時代に始まる。その頃、鶯を飼うことが流行っていたので、服にこの色を用いることが流行したのだ。江戸幕府は旧習を守ろうと派手な衣服を禁じたため、鶯色は、逆に地味な服を着ざるを得ない江戸の人々に好まれた。これは、江戸の人々の幕府に対する無言の抗議といってもよいだろう。

それでは、「地名」を冠した伝統色を見ていこう。「新橋色」というのは、歴史も浅く明治時代後期に登場した。化学染料の輸入に伴い、新しい色が出現したのだ。そして新橋色は、それまであった植物や動物由来の天然染料とはまったく異なり、鮮やかで上品さをまとった淡い青である。この色が世に出るや、東京・新橋の芸者がこぞってこの色の和服を着たために、後にこの淡い青色を「新橋色」と呼ぶようになった。さあ、遠く思いを馳せてみよう。青空の下、桜の傍で「新橋色」の和服を着た芸者が楽器を鳴らし、歌う。それらが一つに溶け合った様子に、皆思わずうっとりするに違いない。

「新橋色」と似た伝統色に「甕覗色（かめのぞき）」がある。名前は変だが、これは灰青色で、青色の中でも一番淡いものである。布や糸を染めるときに瓶にちょっと浸けて、やっとわかる程度に青みを付けるから、「甕覗」というのである。この名前も、江戸時代に付けられたもので、当時の人々の想像力がうかがえて楽しい。

千百余りにも上る日本の伝統色を、一つ一つ解説していたら分厚い本になってしまう。たった数千文字で説明しきることはできないから、ここで筆を置こう。しかし、筆者は、読者の皆さんに、日本人のこの独特な視覚を理解することで、日本文化の美しさを味わってほしいと願っている。とりわけ大事なのは、この数知れずある美しい伝統色の名は、すべて日本人が大陸から伝わった漢字の上に、自身の伝統的な美の価値観を加えて作り上げたものであり、これは日本の「国風文化」の生み出し方の一つであることを私たちが知るべきであるということだ。

日本で再び、お札を愛する

張　豊

日本に来て三カ月、私は再びお金を数える感覚を取り戻した。蕎麦を一杯食べて一万円札を払うと八千九百五十円のおつりが来た。五千円札一枚に千円札が三枚、残りは五百円玉、百円玉、五十円玉といった小銭である。私は釣り銭をきれいに整えると、財布に入れた。後でコーヒーを飲むとしても、コインで十分支払える。

「現金の時代」に戻る

日本に来たばかりの頃は、ホテル住まいをしていた。支払いにかかる不便さについては、まだ十分準備ができていなかった。ある晩、ホテルから徒歩で二キロメートルのところにある東京タワーの夜景を見ようと、ポケットに三千円余りを突っ込んだ。それで十分遊べるだろうと思ったのだ。東京タワーからの帰途、果物店で、私は一房の葡萄に惹きつけられた。値段を聞くと千五百円だという。中国の作家の面汚しになってはいけないと、私は勇気を奮いそれを買った。

こんなにおいしい葡萄は生まれて初めてだ。子どもの頃の夏の味がする。ホテルに着かないうちに、私は全部食べてしまった。次に見つけたのは居酒屋である。ネットでうれしいニュースを耳にしていた私は、お祝いしようと「鳥鍋」とビールを注文した。鶏肉は普通だったが、鍋にはいろいろな野菜が入っているのが気に入った。隣のテーブルの人が私を見て羨ましそうにしている。隣は、漬け物か枝豆か、なんとも貧相だ。支払いのときになってやっと、私はまずいことに気が付いた。この食事は高いわけではないが、三千円ちょっとする。しかし、不幸なことに、私はもう葡萄を食べてしまっている。

私はやむなく、翻訳アプリを立ち上げて、店員と話をした。「ウィーチャット・ペイ?」店員は首を横に振る。「アリペイ?」店員は訳がわからないという様子。天下にまかり通っているこの二大モバイル決済サービスでさえ、使えないところがあるとは。

いつもなら万能のスマホが、このときは、ただの箱になってしまった。もう、私に残された方法はただ一つ。ポケットの二千円とちょっとのお金を渡し、担保としてスマホを差し出した。「これはiPhone8です。どう見積もっても千円にはなります。これをここに置いて、ホテルに帰ってお金を取ってきます」。店員は、なんとか了承してくれた。店員たちにとっても、こんな困った客に出くわすのは久しぶりだろう。

私は、急いでホテルから高額紙幣の万札を取ってくると、気まずさをごまかそうと、また酒を飲んだ。以後、私は現金をたくさん持ち歩くようになった。三カ月の間、スマホ決済は使わなかった。「現金の時代」に戻って、思いもしない収穫があった。その一つは、自分が計算ができなくなっていたことに気付いたことだ。

日本に来るとき、財団の教師会の方で、見学プロジェクトと連絡を取ったり、コンクールのチケットを買ってくれたりすることになっていた。教師会で立て替えて、会ったときに私が返すという手はずである。このことに私は感動していた。お金を返すのは大事なことだから、私はあらかじめ準備をしていた。最初の返金の額は二千六百円ちょっとなのに、真剣に準備をしたはずの私は二千四百円を渡したのだ。そのとき、心を込めて、「ありがとうございました。お手数をおかけしました」と言った私に返ってきた言葉は、「いいえ、ただ二百円足らないんですが……」であった。

あの時の私の顔は、真っ赤だったはずだ。私は、元数学教師である父親に顔向けできないと思った。私の数学の成績は良くはないけれど、幼い頃、計算はとても得意だったのだ。小さい頃、父と野菜農家の車の横を通ると、父は、トマト、キュウリ、ピーマン等を適当に選んで、私に十元を渡す。その場に残された私が、はかりを見て計算をするのだが、間違えたことは一度もなかった。まさか、この期に及んで、愚かな子ども並みに退化してしまうとは。

二回目は、財団の黒川さんに、立て替えてもらっていた講座の費用とジョギングの参加費の四千六百六十五円を返すときのことである。一日前から、私は真剣に準備を始めた。昼食や晩食の際にいろいろな紙幣と硬貨を集めた。会ったときに、私は自信をもってたくさんのお金を差し出した。黒川さんはざっと数えて、十円玉を私に返して、「多いですよ」と言う。今回はミスをしたというほどのことではないけれど、私はがっかりした。何度も数えたのにやはり間違えてしまった。これは、学生が追試で合格しないのと同じだ。

コインに慣れる

スマホ決済と現金での支払いは、支払い方法が違うだけではない。生活の違い、また価値観の違いでもある。

中国にいるとき、支払いは、早くからウィーチャット・ペイを使っていた。買い物をしても、スマホ内の数字が変わるだけ。これは、目に見えるし、視覚で確認する「損失」である。だから、スマホ決済を使うようになってから、簡単にお金を使うようになってしまったと嘆く友人は多い。「小銭」はもはやお金ですらなく、財布からお金を取り出すときの心の痛みはない。「小銭」を使い終わったら、銀行カードに紐付ければよい。カードにお金がなくても「支払える」。

皆さんがお金を数えなくなって、どのくらい経つだろう。ある教師によれば、成都には、人民元を見たことがないから知らない子どももいるらしい。もちろん人民元で支払いをしたことなどない。

スマホ決済に比べて、現金での支払いはずっと複雑だ。触覚と思考が必要になる。コンビニで支払いをするたびに、私は「全身で思考し」行動する。一円玉は「お金とはいえない」が、どの商品を買うにしても、一桁の位まで正確でなければいけない。支払いのときは、紙幣とコインの出し方を工夫する。そうでないと、コインばかりが増えて、歩くときにじゃらじゃらとうるさくなる。

来日したばかりの頃、コインが面倒くさくて、毎回千円札や五千円札を出して、おつりをたくさんもらっていた。やがて、コインは非常に便利であることがわかった。夏、駅や町の自動販売機にコインを投入すると、すぐに飲み物とおつりが出てくる。だんだん、コインが嫌ではなくなってきた。ちょっと触るだけで、コインの額がわかるようになった。支払いのときなど、手慣れた様子でコインを取り出して見せ、レジの女性を感心させた。私が思うに、日本に慣れたかどうかの目安は、二つある。一つはコインを扱えること、二つ目は、地下鉄に乗れることだ。

私は、お金を大事にし、節約に励むようになった。支払いの度に気を付けて精算をする。もともと、スマホが無くても、「遅れていて」「不便」でも何でもなかったのだ。コンビニを例に挙げると、私は、東京でも成都でも、ファミマを愛用しているが、支払いに掛かる時間は、大して変わらない。それに、三秒も待てないほど忙しいのか、という話だ。

スマホ決済が広がらない理由

成都にいた頃、私は二十日間、現金を持ち歩かなかった。財布さえ無かったのである。ある日の昼食後、私はタクシーで会社に向かった。運転手は六十歳くらいの男性だった。会社のビルの下に着いて、いつものようにスマホを取り出し、ＱＲコードをスキャンしようと待っていると、思いもかけないことに、運転手が怒り出した。「お客さんがお金を持っていないことを知っていたら、乗せなかったよ。お金がないならなぜ言わないんだ。俺はスマホが大嫌いだ」。

仕方がないので、会社にいる同僚に電話をし、二十元を持って下りてきてもらうと、運転手の怒りも少し収まった。そのとき、私はふと思った。運転手は私にではなく、時代に怒っていたんだ。お前さんたちにとっては便利かもしれないが、スマホを使えない老人の身になって考えたことがあるのか、と。

今、社会では、スマホ決済ができない人を、「時代に取り残された」「落ちこぼれ」と見なしている。支払い方法に伴う道徳があるようで、「取り残された人」は「恥ずかしい」と思い、「努力して追いつく」べきであるとされている。そうでないと、歴史のごみ箱に放り込まれてしまうから。

しかし、世界で初めてQRコードを発明し、孫正義のように先見の明がある企業家を抱える日本では、依然として現金による支払いが主流なのだ。私の友人は日本で土地を買ったとき、三千万円の現金を持っていった。売り手は老人で、現金を見ると、これで将来は安泰であると言わんばかりの表情になった。

日本でスマホ決済が普及しない理由は、いろいろあるだろう。アリババやテンセントのような独占企業がないことや、人々がプライバシーを大事にして、自分の消費行動のデータを企業に渡したくないことなどが挙げられよう。これらも大事だが、もっと大切な理由がある。社会の「進歩」の指標は、速さではない。また、賢い人やお金持ちの視点でそれを測るものでもない。大切なのは、「愚か」で、「遅れている」とされる「老人」の気持ちを受け止め、社会でもっとも「困難」を抱えている人が幸福であるかどうかで見るべきなのだ。

日本人はなぜ、中国人より二千年近く遅れて「秋を悲しむ」ようになったのか

張 石

一九九四年、私は日本に着いて、初めて桜の満開の季節を迎えた。満開の桜の木は雲のよう霧のようであったが、私はアルバイトをしながら勉強していたので、桜を見る時間があまりなかった。風が吹いて桜が散った時、日本に着いた最初の春に桜の美しさを満喫しなかったことを少し後悔した。

ある日、日本人の友達が突然電話をかけてきて、「一緒に花見に行こう」と言った。私は驚いて「桜はもうほとんど散ってる」と言ったが、「桜は散るのこそが美しい」と言った。

誘われて行った上野では、両側の桜のわずかに残った花びらが風になびき、時折花びらは優美な曲線を描いて落ち、地面は落ちた花びらで覆われ、くねくねした薄紅色の花の道ができていた。周りは少しずつ暗くなり、月光は銀の水のようで、きらきらした落ちた花びらが続いていた。樹の下に座って花が散る隣で酒を飲み、歌を歌う人がいて、桜が散るのが美しいと思い、次のような詩を書いた。

桜雪飄落
天籟寂静着凋零
老樹無声
傾聴春天離去時
書写淡紅色簽名
日本人本不悲秋

桜の雪が降る
天の声が静かに降りる
老木は音を立てず
春の去り際に耳を傾ける
薄紅色を書き残す
日本人は秋を悲しまない

日本人はこのように花が散るのを好むが、これは中国人の趣向とは異なる。中国では、万物が物寂しい秋は、詩人たちの悲嘆の対象だった。詩人たちはよく「春を惜しんで、秋を悲しむ」、「古来、秋になると悲しくなり、ひっそりとする」と言った（劉禹錫『秋詞二首』）。

『詩経』では「秋」が語られることは少ないが、「秋」を語るときにはもの悲しい。『詩経・小雅・四月』に「秋日凄凄，百卉具腓。乱離瘼矣，爰其適帰?」とあり、その意味は「秋は悲しい。全ての花と草が枯れる。私も困難に陥り、落ち込んだ気持ちで憔悴し、前途が予測できず落ち着かない」である。後になればなるほど、悲しい秋の色も濃くなって、『全唐詩』では、秋を悲しむ詩はもっと多くなる。古代日本の詩人に大きな影響を与えた中国の詩人、白居易は秋を悲しむことで有名な詩人で、『暮立』という詩に以下のようにある。

黄昏独立仏堂前，　たそがれに仏堂の前に立ち、
満地槐花満樹蝉。　エンジュの花が地面を埋めつくし、蝉が木々で鳴く。
大抵四時心総苦，　四季はそれぞれ悲しいものだが、
就中腸断是秋天。　はらわたがちぎれるほど悲しいのは秋だ。

『万葉集』の成立した時代に編まれた日本人の漢詩集には秋を悲しむ漢詩が一、二首だけあるが、それは中国の詩をたどったもので、純粋な日本の歌集にはあまり見当たらない。中国の『全唐詩』には秋を悲しむ詩が数多い。潘百斉編『全唐詩精華分類鑑賞集成』「秋季門」が選んだ二十七首のうち、秋を悲しむものは十九首にも及ぶ。日本の代表的な和歌集である『万葉集』には、「秋」に関する歌が約百四十首あるが、純粋に秋を悲しむ歌は、ほとんど見当たらない。日本の万葉詩人にとって、秋は実に美しい。

「宵に逢ひて朝面なみ名張野の萩は散りにき黄葉早継げ（宵に逢って女が朝恥じらいに顔を隠す。その名張野の萩は散ってしまった。早く黄葉の季節がやって来ないものだろうか）」
（「縁達師の歌一首」『万葉集』第千五百三十六首）。

『源氏物語』の「薄雲」にも、唐土では錦のような春の花ほど美しいものはないというが、当時の日本でいえば秋風と秋の景色だという。

中国人は生き生きとした美しさが大好きだ。「美」の本来の意味は「大羊」で、壮大で生命力のある壮観さは、中国人の美の源泉である。日本人は寂滅の美しさが好きで、「滅」と「死」の尽きない神秘の中に、生命が及ばず永遠にひきつけられる「大美」があると考えている。

日本人も後に秋を悲しむようになり、たとえば平安時代前期の勅選和歌集『古今和歌集』には、第四巻「秋歌上」「秋歌下」第五巻に百四十四首の歌が収められ、そのうち秋を悲しむ詩は十六首ほどある。例えば以下である。

「秋歌上・百八十九」よみ人しらずの歌

いつはとは　時はわかねど　秋の夜ぞ　物思ふことの　かぎりなりける

「秋歌上・百九十三」大江千里の歌

月みれば　ちぢにものこそ　悲しけれ　わが身一つの　秋にあらねど

「秋歌上・二百十五」よみ人しらずの歌

奥山に　紅葉ふみわけ　鳴く鹿の　こえきく時ぞ　秋はかなしき

日本人が作った和歌に「秋を悲しむ」ことが本格的に歌われるようになったのは、この時代からだろう。

ではなぜ、日本人が「秋を悲しむ」のは中国人より二千年近く遅れたのだろうか。

『詩経』は中国最初の詩歌集で、西周の初めから春秋の中ごろ（紀元前十一世紀頃から紀元前六世紀頃）の詩歌三百五編を収録したものである。もとは『詩』と言い、また『詩三百』とも言ったが、漢の時代から儒家はこれを経典とし、『詩経』と称するようになった。詩経全体の収録作品は、約五百年の期間に及ぶ。

『万葉集』は日本最初の詩歌集であり、日本では中国の詩経に相当する。奈良時代末期に編纂されたと言われ、計二十巻、四千五百の詩が収録されている。全体として、宴席や旅行を詠んだ『雑歌』、男女の恋を詠んだ『相聞歌』と、死者への哀傷を詠んだ『晩歌』に分類される。七世紀前半から七五九年（天平宝字三年）までの百三十年間の作品を本にまとめたものだが、編纂された年と編者について歴代の学者で諸説がある。何年にもわたって複数の人によって編まれ伝承されてきたが、八世紀後半に大伴家持が完成させ、その後数人による校正編纂を経て、現在の本になったと考えられている。

『古今集』は『古今和歌集』ともいい、醍醐天皇の命により紀貫之をはじめとする宮廷詩人によって九一四年頃に編纂された日本最初の勅撰和歌集である。千百十一首の歌が収められており、多くは短歌である。

『詩経』の最初の作品から『古今集』の編纂までの期間は二千年近くに及ぶが、なぜ日本人は『万葉集』では秋をほとんど悲しまず、『古今集』では秋を深く悲しむのだろうか。

『詩経』や唐詩などが生まれた地域の文化地理は、河南省を中核とし、広大な黄河中下流域を後背地とする中原文化に属し、その影響は海外にまで及んでいる。中原は中華文化の最も主要な発祥地で、長い間中国の政治、経済、文化の中心である。中原地域は四季がはっきりしていて、冬は寒くて乾燥し、万物が枯れ落ち、秋の到来は冬の前奏曲なので、景色を見ると悲しみを感じやすい。中国の詩人の「秋を悲しむ」感情の源は、まさにここにあるのかもしれない。

『万葉集』の発祥の地である奈良は、紀伊半島の中央部、近畿地方の中南部に位置し、日本の歴史と文化の発祥地の一つであり、森林が非常に多く、植物の種類だけでもヨーロッパの十倍以上ある。気候は基本的に四季を通じて春のようで、古来、野生の果実などの植物採集と漁猟で生計を立て、生産文化も発達している。暖かくて雨が多く、四方を海に囲まれた環境の中で暮らす日本人は、寒く乾燥した中国北方の中国人よりずっと快適な生活をしているので、秋を悲しむ文化地理的環境ではない。

稲作の伝来以後、日本文化は、新石器時代の漁猟採集を主としていた縄文文化から、金石器の併用、水稲栽培、食糧貯蔵と牧畜とが合わせて行われる弥生時代に入った。この時代は紀元前三世紀半ばから三世紀半ばまで続いた。

稲作文化に関する日本の地理的環境は、日本の短い河川、豊富な水、北部と東北地方の積雪の多さと、恵まれている。平野部では扇状の地形が多く、この扇状の端では地下水が湧き出て米作りに有利であった。沖積平野の微高地に挟まれた後背湿地には、水を引かなくても水田が作れるため、日本人は自分たちの豊かな自然を愛し、「天と闘え、地と闘え」という思想がほとんどなく、やはり「秋を悲しむ」という感情の原型がない。

後に日本は中国の中原文化を吸収し、中国の隋・唐に遣隋使を四回、遣唐使を約二十回派遣し、仏法を学ぶ学問僧を多数派遣するなどした。当時の日本の中国典籍の多くは遣隋使、遣唐使、留学生、学問僧によって日本にもたらされた。七世紀前半から『万葉集』の作者が活躍した時代まで、日本は百年足らずの間に遣隋使と遣唐使を十二回も中国に派遣しているが、それでも中国の文化を全面的に吸収したわけではない。しかし『古今集』の時代になると様相は一変する。一方、寛平六年（八九四）、廷臣、令外の官であった菅原道真が、五十九代天皇である宇多天皇に、唐は安史の乱で不安定で、遣唐使派遣は、渡唐が危険であるだけでなく、日本の文化の独立した発展に寄与しないと建議した。宇多天皇はこの提案を受け、遣唐使を中止し、唐が九〇七年に滅亡したため、再び遣唐使が派遣されることはなかった。一方、日本人はこの時期に中国文化を入念に消化し始め、中国文化の影響が骨の髄まで浸透し、『白氏文集』、『文選』などは日本文化人の必読書となった。白居易など中国詩人の深く秋を悲しむ意識が、日本人の詩歌に深く浸透した。

　しかし、このような「秋を悲しむ」感情は、いまだに日本人の生活と芸術感情の中に全面的には浸透していない。日本人は枯れて落ちる美しさが好きで、花が散り葉が残るのが好きで、枯淡静寂が好きで、「秋を悲しむ」は一種の歴史的な模倣であり、心理的原型と文化的原動力ではない。

日本人はクリスマスと新年をどう過ごすか

伊藤日実子

クリスマスはもともと西洋の祝日で、日本の伝統的な祝日ではなく、休みでもないが、日本の家庭はクリスマスを大切にしている。特に子供の頃のクリスマスの思い出は、今振り返っても心温まる。

子供の頃、クリスマスが来ると、日本の他の家庭と同じように、我が家ではクリスマスツリーをリビングに飾っていた。十二月二十五日の朝起きると、プレゼントとサンタクロースからの手紙がツリーのそばに置かれているのが目に入る。私はいつも興奮して駆け寄って、まず包装を破る。プレゼントは毎年、その年に私が欲しかったものばかりで、手紙の内容は「メリークリスマス、ご両親の言うことをよく聞いて、よく勉強して、自分のことを大事にしてね」などであった。実はこの手紙はずっと母が書いていたのだが、私たちが大きくなると、ばれるのではないかと心配し始めた母は、私の弟がクリスマスプレゼントを受け取る頃には、パソコンで文字を打つようになった。

クリスマスプレゼントについては、毎年十二月に入ると、「今年はサンタさんから、どんなプレゼントをもらうの？」と両親から質問された。また、「サンタさんは子供たち全てにプレゼントを贈るから、あまり高いものはもらってはいけない。たぶん五千円くらいがいいと思う。一緒におもちゃ屋さんに行ってみようか」と言われた。こうして、毎年クリスマスの日になると、「サンタクロース」は私の欲しいプレゼントを贈ってくれた。

我が家では、ゲーム機を買ってはいけないというルールがあった。両親がゲームはよくないと思っていたので、毎年のプレゼントは人形やオセロだった。小学校三年生の時、なぜか急に自分の日本語辞書が欲しくなった。ある時、辞書をちゃんとしまわなかったところ、それを見た父が、「それは私が買ってあげた辞書だ。大事にしてね」と言った。そのとき初めて、サンタは父だったんだな、と気づいた。両親からは、「弟たちには内緒にしておいて。大きくなってから話すように」と言われた。大人になった証拠だという優越感を感じたことを覚えている。

クリスマスについて、日本では「いつサンタクロースはいないことを子どもに教えるのが最適なのか」という議論がよくある。これについては、親から聞いたり、友だちから聞いたりしている子もいて、小学生の四年生になる前に五十四パーセントが、サンタクロースは伝説の中にしかいないことを知っているという調査もある。この年齢以下の子どもを持つ親や兄、姉、小学校の先生は、子どもの夢を早く壊さないようにと気をつけている。

日本の大人のクリスマスが欧米と違う点は、大学に入ってからのクリスマスは、たいていカップルで過ごすということだ。そこで十二月になると、友人との会話の中心になるのが、何をプレゼントするかということだ。腕時計か、それともセーターか。あるいはクリスマスをどう過ごすかということである。

外食か、それとも、いっそ部屋を予約するか。私も彼氏も、外で混んでいるのが嫌なので、基本的には毎年家で過ごし、いつもより豪華な手料理を作って、食事をしてお酒を飲み、プレゼントを交換して、一年を振り返った。

日本では、十一月中旬から、都市部の街路にイルミネーションが灯され、お祝いムードが漂い始める。神戸市内や大阪の御堂筋、ユニバーサル・スタジオなどでもライトアップが行われ、週末の夜は賑やかになる。各デパートや店舗もクリスマスをセールの好機と見て、十月からクリスマスケーキの予約を開始しており、五つ星ホテルの有名ケーキ店ではクリスマスケーキはすぐに売り切れてしまう。

この季節の夜はどこも大小のイルミネーションが灯り、クリスマスソングが流れ、カップルが街を埋め尽くす。だから、恋人がいなくても、クリスマス気分を味わえる。日本語には「クリスマスの独り身」を意味する「クリぼっち」という流行語があり、毎年この季節になると、誰も一緒に祝う人がいないことを自嘲する「独り身」がツイッターで話題になる。日本では、クリスマスは休みではないが、すべてのカレンダーに「クリスマス」と書かれ、国民的な祝日となっている。

大みそかは日本の伝統的な祝日だ。日本の寺院では大みそかに「除夜の鐘」という鐘を打つ。「日本人はキリスト教のクリスマスを過ごし、仏教で鐘を打つ大みそかを過ごし、神道で神社に参拝する元旦を過ごしている。三つの宗教の異なる文化なのに、日本人は全て好きなのだ」とネット上で揶揄する声もある。

クリスマスと大みそかと元旦に違う場所に行くことは、日本人の生活の一部になっていて、私たちにとっては全く不思議ではない。これは神道の考え方からきているのかもしれないが、ジブリの映画『千と千尋の神隠し』にも「八百万の神※」が登場するように、日本人は昔から「全てのものには神が宿り、いたるところに神がいる」という考え方を受け入れてきた。そのため日本人は様々な宗教を受け入れることができ、今では年末年始を三つの宗教の祝日を続けて過ごす習慣になっている。

私が大学で中国語を勉強していた時、先生が中国では春節の雰囲気が色濃く、中国の春節聯歓晩会は、日本の紅白歌合戦に似ていると言った。日本人は大みそかに「紅白歌合戦」を見るのが好きだ。「ダウンタウンのガキの使いやあらへんで！（絶対に笑ってはいけない）」も若者に人気の番組だが、「絶対に笑ってはいけない」が二〇二一年は様々な事情で放送されず、残念だったと言う人が多かった。また、中国語の先生は、中国には圧歳銭（日本では「お年玉」と呼ぶ）を配る習慣があると言った。私が小学校六年生のときは、祖父母から五千円くらいもらっていたが、高校生になると一万円になった。しかも、両方の祖父母が離婚していたので、お年玉は人一倍もらっていた。日本では、年配の人が年下の人にお年玉をあげるのは、成人式が終わるまでが一般的だが、中には年下の人が就職するまであげる人もいる。私は二〇一九年に大学を卒業し就職してからはお年玉をもらわなくなった上、弟やいとこにお年玉をあげることになったので、急に大人になるのも大変だと思った。

中国では新年を祝うのにお酒が欠かせないが、日本ではそうではない。私が子供の頃、母は私に、父の親戚は皆お酒が飲めない、とよくこぼしていた。母や親戚は皆、お酒が好きだが、一人で飲むのはまずいからと、父と結婚してからは、お正月にほとんど飲まなくなった。もちろん、お酒が強いご家庭もあり、私の知人は、お正月に祖父母の家に行くたびにお酒を大量に飲み、テーブルの下には日本酒の一升瓶が山積みになっているそうだ。私と弟が大きくなると、母は、私たちが大人になり、一緒に飲める人ができたので嬉しいと言った。お酒が好きな人が、お酒を飲まない家に嫁ぐのは、ちょっと不便かもしれない。

お正月の家族だんらんも、日本は中国ほどではない。私は高校生の頃から、両親と過ごすのではなく、友達と一緒に鐘を聞きに神社に行って、「お守り」を買いたいと思っていた。だが就職してからは、大学生の頃より家に帰る回数が減って、今はむしろ家に帰って両親と一緒にお正月を過ごしたいと思うようになった。

※日本の神道の一つの考え方で、万物には霊があり、行く先々に神がいる。『千と千尋の神隠し』には春日の神、大根の神、川の神などが出てくる。

端午の節句とこいのぼり

唐辛子

子供の頃は故郷の湖南で、毎年の端午節は春節よりも盛大に過ごした。祖母が数ヶ月前から作った塩漬けのアヒルの卵は、卵の黄身から油が出てきて、手のひらから手の甲にまでずっと流れていた。手作りのちまきは、防腐剤を入れず、何も味をつけていないが、自然と濃厚な香りがあって、食欲を誘い、一気に三つも食べることができた。濃厚な「雄黄酒」もあり、子供は飲めないが、大人に眉間に丸く大きな「雄黄」を点けられて、男の子も女の子も元気に跳ね回っていた。もちろん最もにぎやかなのは汨羅江のドラゴンボートのレースで、小さい時に一回、見に行ったことがある。しかし、人が本当に多すぎて、ドラゴンボートは見られず、汗だくの暑い日の中、見渡す限り、風を全く通さない壁のような大人たちの背中だけがあった。ずっと後になっても、あの壁の記憶は消えることがない。

こうした端午節の記憶を持って日本に来て、初めて日本にも端午の節句があることを知った。

字面から見ると両国の端午節は似ているが、よく見てみると、内容が大きく異なっていることに気がついた。

中国人の端午節は、記念として行われる。ちまきを食べて、ドラゴンボートを漕いで、愛国詩人である屈原を記念するものである。ちまきは小さいが、愛国は大きい。何千年もの歳月が流れ、時代は変わったが、中国人は終始国を愛し、美味しい食べ物だけでなく、伝統的な祝日も愛している。

日本人の端午の節句は、希望として行われる。各家庭の小さい男の子は、端午の節句に青空の下にこいのぼりを高く揚げる。「少年よ、大志を抱け」。鯉は登竜門を越えてこそ竜になるように、少年は大志を抱いてこそ男になる。端午の青空の下、高く揚げたこいのぼりは、全ての時空を越える期待である。

しかし、日本人の端午の節句に対する「希望」は、無意識の中から出てきたものである。最初は、今のような形ではなかった。奈良時代にさかのぼると、宮廷貴族たちの端午節も、中国と同じように菖蒲を飾って厄よけし、天皇が丸薬を配って臣下たちの毒をはらった。その頃の日本人の端午節には、こいのぼりはなかった。

こいのぼりの登場には、日本の武家が関係している。日本の戦国時代劇を見たことがあれば、きっと昔の日本の武士の姿を覚えていると思うが、古代中国の武将と同じように、みな自分の鎧の上に小旗を立てていた。この旗には、自分の家紋が描かれていることが多い。つまり、この旗は武士たちの身分を証明するしるしであった。晩春五月の空は晴れている。一冬を越した武士たちの旗は、湿気をとって虫食いを防ぎ、これからの梅雨にカビが生えないよう日にあてる必要があった。

武士たちが干した旗が風にはためいていて、とても美しかったので、一般庶民もまねをし始めた。しかし庶民には家紋がないので、干した旗に自分の好きな伝説の人物を描いた。一番人気は、鍾馗（しょうき）と金太郎だった。鐘馗は中国人で、金太郎は生まれも育ちも日本である。この老人と少年の組み合わせは、普通の人々の家の子供を一緒に守って成長させて欲しいという大人たちの無限の願いであった。また、中日友好の先駆者とも言えるだろう。この頃の旗には、こいのぼりはまだ登場せず、武家に由来することから「武者絵旗」と呼ばれていた。

「武者絵旗」は江戸初期になると、絵の内容が豊かになってきた。鐘馗や金太郎の絵だけでなく、鯉の登竜門の話も絵旗に持ち込まれるようになった。中国に由来するこの伝説は、日本人の武者絵旗の意味を大きく飛躍させ、ついにこいのぼりが登場した。最初の頃のこいのぼりは平面的なものだったが、江戸中期になると、風が吹くとふくらみ、生きた鯉が空を泳ぐような立体的なこいのぼりが出てきた。

立体的なこいのぼりが最初に出てきたときは、「真鯉（まごい）」と呼ばれる一匹だけの大きな黒い鯉であった。陰陽五行で言えば、黒は水である。水は生命の源であり、枯山水の象徴と似ているが、黒ずくめの「真鯉」も水を持っていて、長く宙を舞っても水が不足しない。また、日本では家の中心となる柱を「大黒柱」と呼んでいたため、母親を表す赤い「緋鯉（ひごい）」や子供を表す青い「青鯉」が生まれ、黒い「真鯉」は父親を表すようになった。

立体のこいのぼりは明治時代に入ってから主流になり、鯉の登竜門の物語は端午の節句のこいのぼりと一体となり、切り離せないものとなった。日本の歴史を見れば、明治時代はまさに「日本」という鯉の登竜門の時代である。明治維新とこいのぼり、まったく関係のないものが、計画的でないのに一致している。近代日本を代表する、集団主義の象徴である人工桜のソメイヨシノも同様である。

明治時代の日本人はすでに新暦を使い始め、毎年三月三日がひな祭りで、女の子のいる家庭ではひな人形を飾るようになった。端午の節句も毎年新暦の五月五日になり、男の子のいる家庭ではこいのぼりを掲げる。そのため、日本人の端午の節句は、「男の子の節句」とも呼ばれている。一九四八年、日本政府は五月五日の端午節を日本の法定の「子供の日」と定めた。そのため、日本では五月五日は、端午の節句、男の子の節句、子供の日の位置づけを合わせ持つ。

また、五月五日は、日本の空に多くのこいのぼりが揚げられているので、「こいのぼりの日」という別称もある。日本の多くの地域で、五月五日前後に「こいのぼり祭り」が開催され、大小百千、色とりどりのこいのぼりが、日本の青空の下で、山谷、渓流ではためく姿は壮観だ。例えば、熊本県阿蘇郡の杖立温泉では、毎年三千五百匹のこいのぼりが五月の空を泳ぐ。また、「こいのぼりの里」と呼ばれる群馬県館林市では、毎年三月から五月まで日本最大の「こいのぼり祭り」が開催され、五千匹以上のこいのぼりが空に舞い、その数の多さはギネス世界記録にも認定されている。

現在、日本人は陰暦をあまり使わないが、日本の全ての地域で太陽暦の端午の節句だけが行われているわけではない。飛騨古川に行ってみると、この地域の人たちは、今でも旧暦の端午節を行っている。したがって、飛騨古川のこいのぼりは、新暦の五月五日から陰暦の五月五日まで揚げられる。飛騨古川の町はとても静かで、民家は白と黒がはっきりしていて、小さい橋がかかる小川はさらさらと流れ、中国の江南に帰ってきたような気分になる。「ここはまだ、旧暦の端午節だ」。透き通った小川を泳ぐ鯉の自由自在な姿と、屋根に掲げられたこいのぼりを見ていると、少し感心してしまう。

わび・さび――至純至高の生命原理

劉　檸

日本の美学を構成するいくつかの核心的な要素（もののあわれ、幽玄、心、粋、渋さなど）の中で、「わび」、「さび」ほどやっかいなものはない。ある意味では、気品が高くて冷たくて、無敵の存在感で、至る所にあって、ほとんど日本の芸術の代名詞となっている。一方で、日本人に、「わび」とは何か？「さび」とは何か？と気軽に聞いてみると、十中八九、きょとんとした表情になる。辞書を引いても、基本的に似て非なる解釈しかない。しかし、この二つの言葉の重要性を否定する者はいない。中世以降の日本の芸術・文化は、この対義語なしには語れない。

日本が欧米と異なる点は、歴史の発展や自然環境、気候などの理由により、アテネのアクロポリスや古代ローマのコロッセオのように、物質的・文化的に視覚に訴える壮大な遺跡が残っていないことである。しかし、このようにして、極度に敏感で脆弱で無常の美意識が純化され、イデオロギー化に近いかたくなさをもって、成長・安定・衰え・死という自然の滅亡プロセスから美を発見し創造しようとすることは、特定の物理的な建築物や道具の保存をはるかに超えている。

「わび・さび」とは、このように異彩を放ちながらも、言葉にならない美しさ（あるいは在り方）であるというべきであろう。アメリカの文化学者レナード・コーレンは次のように考えていた。

「大まかに言うと、『わび・さび』が日本の美の殿堂の中に占める位置は、古代ギリシャの美と完璧さの理想が西洋社会に占める位置と同じである。大きく言えば、生き方である。控えめに言えば、特殊な美しさの形である」

「わび・さび」は翻訳を拒否した「日本的」な表現であり、最も近い意味を持つとされる英単語「rustic」は、「田舎の、やぼな、素朴な」という意味であり、日本語の文脈の限られた側面しか表現できていない。むしろ「rustic」の中に含まれている「田舎者、ならず者」という多少悪い意味の言葉のほうが、「わび・さび」の原義に合っている。

西洋が採用した方法は、直接持ってくることだった。そして、「wabi」、「sabi」が英語に入り、「Zen（禅）」や「kimono（着物）」のような日系英語となった。しかし、欧米人にとっては変換（翻訳）のプロセスが必要で、wabi-sabi は kimono ほど具体的ではなく、Zen に対する理解ほど「はっきり」していない。中国人にとっても同じである。今日、無数の小メディアや「知日」系情報誌、禅や茶文化の公式アカウントが「わび・さび」を語り、この言葉をそのまま店の垂れ幕に使っている喫茶店を見たことさえある。しかし中国人は、本当に「わび・さび」を理解しているのだろうか。「わび・さび」は、たまたま漢字で表記される文化的な現象で、禅と似ている。禅は中国から日本に入ってきたものなので、多くの人に知られている。「わび・さび」も、九〜十世紀の中国の詩や山水画の透明な美しさの孤立の境地や、極少主義的な絵画表現に由来すると考えられているが、より明確になったのは十六世紀後半に和風の伝統と融合し洗練化された結果であり、基本的には日本文化である。「侘（わび）」と「寂（さび）」の漢字表記が使われるようになったのも、近世※以降のことである。

いわゆる「わび・さび」とは、一種の審美的な趣きで、閑寂で、淡白で、無味乾燥な感じで、次第に一つの芸術理念に発展していった。「わび」という日本語には、貧しさ、貧弱、孤独というニュアンスがある。日本の辞書『辞海』、『大言海』の解釈によれば、三つの意味がある。

①苦しさ、煩わしさ。
②閑居を楽しむこと、閑居する所を指す。
③雅、素朴、寂しさ、閑寂。

しかし、三層の語義の形成は、完全に同期している訳ではなく、異なる歴史の時期における文化の形成の結果である。もともとは、人が貧しく、思い通りにならない状態が生じる、嫌な気持ちやうっ屈した気持ちのことを言う。中世以降、その語義から否定的な要素が抜け落ち、肯定的な価値として認められるようになった。価値転換の原動力となったのは、古代後期から中世初期に登場した遁世者の草庵住まいや自由気ままな旅に象徴されるような、常軌を逸した行動や生き方が見直され、価値が見直される時代の空気である。このように、西行法師、鴨長明のころには、貧しさや悲しさといった消極的で負のイメージだったのだが、兼好の時代になると、積極的で審美的なイメージとなった。貧困を脱していないにもかかわらず、苦の中の楽を楽しむといった風雅なイメージになり、和歌や連歌にも似たような用例が多い。たとえば文正元年（一四六六）、相国寺鹿苑の軒主の『蔭涼軒日録（いんりょうけんにちろく）』に、次のような歌が記録されている。

わび人で暮らす
食べたのはつくし
割と気楽だ

なお、「わび人」は「侘人」とも書く。「わび」が「侘」と表記されるようになったのは、その後のことである。俳諧や能において賞賛する用例が多い。

「わび」が貧しさに触発されて漸次生成された美意識だとすれば、「さび」は時の流れの自然な結果であり、「sabi」のもう一つの意味は「さび（漢字表記は「錆」）」と同じである。和歌や俳諧では、「わび」と「さび」は基本的に同義語として連用されている。俳諧師の松尾芭蕉は、「俳諧には三品あり、わびしさの情を言う者、女色、美食の楽をもって『さび』となす者」と言った。いわゆる「風雅のさび」である。「わび」が古代から中世へ語義的に変わったのと同様に、「さび」の文脈も、当初は負の語義を主とする物悲しさ・さびしさから、正の語義を主とする静かな趣き・心静かな楽しさへと広がっていった。

たとえば江戸前期の俳人、向井去来の『去来抄』には、先師（松尾芭蕉）が評した俳諧の一句が記されている。

花守（はなもり）や　白きかしらを　付き合せ

この句について先師は「寂色（さび色）が濃く、ことに喜ばしい」と評している。

「わび・さび」の発展にもっとも貢献し、美意識として確立させたのが茶道である。「わび」と茶との結びつきは、第一に、さまざまな「モノ（mono）」の器を用いた茶の湯（cha-no-yu）が、「モノ」の欠乏という文化的心理構造に吸収される特性をもっていたことと、その特性にもとづいている。第二に、茶湯（茶道）は、その母体である禅宗の教えと内的に通じるものがあり、そこで「わび茶」（草庵茶ともいう）が生まれた。

わび茶の元祖は奈良出身の僧、村田珠光（一四二三〜一五〇二）である。室町時代中期には、茶はまだぜいたく品であり、中国から渡来した美しい茶器（いわゆる唐物）も一般家庭にあるものではなく、茶を飲むのは上流社会専有の娯楽だった。唐物数奇（中国の茶器を使った茶屋）風の書院座敷（書院茶ともいう）で茶の湯をし、国是を論じた武士たちは、のちの江戸時代の表現でいえば、一種の「粋」であった。だが珠光はそうは思わず、公然と逆手を取り、唐物を捨て、日本産の素朴で飾り気のない茶器で茶道を行ったので、「唐物（karamono）」は「和物（wamono）」にとって代わられ、書院茶は草庵茶になり、大きな「完全美」から枯れた「粗相な（質素な）美」となった。これにより、茶文化の主体性を確立した珠光は日本独特のわび茶の伝統の創始者と見なされている。

しかし、いわゆる「粗相」に基づいた美意識の上にわび茶の「物がないこと」を標榜しているにもかかわらず、都市の人を主体とする都市の消費文化は、各種の茶道器具を持つことが敷居となり、実際には「徳がある人」（金持ち）たちの楽しみであった。このような「徳がある」文化消費の過剰装備を徹底的に打ち破り、その美意識の核心を突き、わび茶を真に「飾らない」草庵茶の集大成としたのが、安土桃山時代の茶人、千利休（一五二二～九一）である。

千利休は和泉の国、堺の商家に生まれ、十七歳から茶道の修業に励んだ。天正十年（一五八二）、織田信長が暗殺された後、利休は信長の後継者で「天下の武将」となった豊臣秀吉に仕えた。利休は九人の高弟をひきい、秀吉の側近として茶器の鑑定、茶湯の作法、茶器の解説などをつとめた茶頭である。「利休十哲」の一人である南坊という弟子は、利休の茶道の秘事や日々の気づきを記した『南坊録』を著した。このうち、わび茶の「わび」について南坊が記した利休の言葉に「仏心発露」がある。

「『わび』の本来の意味は、清浄無垢な仏の世界、小道を掃いて、草庵のちりを払って、主人と客は心を傾けて話し合って、決まり事などは言わなくてもいい。火をおこすこと、湯を沸かすこと、茶を飲むこと、それ以外のことはない。これが仏心の発露である。

……

狭い部屋で行われる茶道は、仏法修行を第一とする。家が立派で、料理が豊富であることを楽しむのは俗事である。雨漏りしないくらいの家で、飢えない程度に食べていればそれでいい。これが仏教と茶道の本来の意味である」

ここまでくると、利休の茶法や作法の背後にある大義は、名陶名器にこだわらず、日本や朝鮮半島の無名の土窯から出てきた、誰も製作者の名前も知らない陶器に、唐物と同格の「品」を与えたということである。農家を模した、木の皮のついた原木と泥で作った壁、わらぶき屋根の、わずか二畳ほどの茶室で、利休はあぐらをかいて、茶の湯でもてなした。相手が大名・武士であろうと、田舎の百姓であろうと来るものはみな客として、茶碗一つでであった。現代の単位に換算すれば九百三十平方センチしかない「貝の殻」の中で、利休は「わび・さび」を極め、自由なオーラが茶室の壁を貫通して磁力線のように放射していた。前衛芸術家の赤瀬川原平氏によれば、千利休は「無言の前衛」であった。しかし実際には、利休には表現するものがあり、しかも立場がはっきりしていた。利休は茶の湯のことを言っているのではなく、一種の至純至高な生命の原理を説明していたのではないだろうか。利休の目には、純金製の豪奢な茶室で客をもてなす主人は、「装いを新たにした」皇帝にしか見えなかった。

利休は、こびることがなかった。案の定、そのはっきりとした美学的立場（人生観）が最高権力者の太閤秀吉を怒らせ、利休は自害を命じられた。最後の大茶会の終わり間際、来賓全員が茶器の美しさを感嘆したとき、利休は自分が使っていた一つの茶碗だけを残して、全ての茶器をそれぞれに贈り、「不幸な人の唇で汚された茶碗は、他人に使わせるものではない」と言って、自分の茶碗を割った。岡倉天心が、「美をもって生きる者は、美をもって死ぬ」といったのは、利休のことである。

利休は「私が死んだ後、茶道は衰退するだろう」と言い残したという。衰退するかどうかは、さまざまな基準や判断があるようだが、ほとんどの人が千利休を茶道の大家と仰いでいる。近世以降、美術史の模範となった偉大な芸術は、いずれも利休の作であり、美術史上の琳派、建筑史上の二条城・名古屋城・桂離宮、陶磁史上の遠州の七つの窯などがある。古い禅語である「一期一会」には、より深い禅の意味が込められており、今日の茶道に代表される「わび」の哲学の根幹をなしている。同じ「わび」の風景であっても、今の「わび」はそのころの「わび」とは異なるという。なぜなら、風景が変わり、景色を見る人も変わって、時間の砂時計が落ちているからだ。

中世後期の島国はまだ「改革開放」されておらず、日本人は「誰も同じ川に二度足を踏み入れることはできない」という古代ギリシャの哲学者の命題に答えようとは思わなかった。しかし、ある意味では、中国の現代詩人、卞之琳の有名な『断章』にあてはめて、風景と橋と月と窓と、風景を見ているあなたと、あなたを含めた人の夢とは、一種の「わび・さび」の関係である。いずれの要素も、他のそれぞれの要素の「わび・さび」と言える。

※日本の歴史の区分では、中世は鎌倉幕府から江戸幕府初期、近世は江戸幕府中期から末期を指す。

特別編

ある北京人の東京での話

許知遠

タクシーの前の座席の背もたれの端末に、鼻の先と頬が赤いチャールズ皇太子の写真が映し出された。写真の横のニュースの漢字から、皇太子が新型コロナウイルスの検査で陽性と確認されたと分かった。もしウィーチャットのモーメンツでこのニュースをすでに知っていたとしても、タクシーの中で、日本の電子決済の広告のあとに目にしたらやはり不思議に思うだろう。車はちょうど日比谷公園を通り過ぎ、正面には皇居があった。

歴史の不思議なところは、個人の平等と実用主義を強調するほど、人々は階級や役に立たない無用の価値を求めるようになることだ。

東京の皇居とロンドンのバッキンガム宮殿はどちらもある種の近しさがある。双方とも島国で、一種の「栄誉ある孤立」に酔い、大陸とは不即不離の関係で、相手国を必要としながら、一方では自国の独立性を侵されるのではと懸念している。二十一世紀のEU離脱はイギリスとヨーロッパ大陸とのいさかいの新しい幕開けだ。過去十年の日本は、再び勃興した中国、その経済発展と魅力的な購買力への対応に忙しかった。この二つの民族の性格は似たところがある。人と人との間にあいまい不明確な境界線がある気がする。

二〇二〇年三月三日に東京に着いてから、私はマスクをつけていなかった。一週間ハワイにいて、精神の抗体ができたかのようだった。青い空、砂浜、人ごみの中でも思い切り呼吸し、自由に歩き回ったあと、憂慮していたことは消えてしまった。

東京では、ウイルスの視点で見ると、新しい世界地図が出現しはじめているのを見ることができた。当時、中国と韓国はしばしウイルスの勢いを抑え込んでおり、イタリア、スペイン、ドイツ、イギリス、アメリカでは大流行していた。イタリア北部のロンバルディアでは、制御できなくなった病人と医療崩壊とで、死と絶望にすべてが支配されていた。

東京は平静を保っていた。私が去るときよりも落ち着いていたほどだ。二月中旬は、タクシー運転手が感染して混乱していたが、今ではこのような状態に慣れてしまっていた。世界中の感染者数が急激に増加するのと違い、日本の新規感染者数は変化がなさ過ぎた。

各国が先を争って緊急事態に入ったとき、日本の官僚システムはオリンピックが予定通り開催されるかどうかに気をもんでいた。安倍政権はこの時、オリンピックは日本復興の重大な試みであり、経済を刺激するほか、二十一世紀の日本の新しいイメージを確立するのに役立つと期待していた。一九六四年の東京は第十八回オリンピックを通して、廃墟から立ち上がり、平和、繁栄、友好的な新しい日本を世界に示した。しかし、今では、バブル経済が破綻して三十年が経過し、日本は世界で新しい立ち位置を探らねばならなかった。五十六年前と違い、日本国民は一団となって目標へまい進する熱意が乏しく、自己顕示欲を失っていた。国家レベルのアピールは人を引き付ける力を失ったものの、個人もまだ集団や社会の束縛から抜け出せていない、東京の街を歩きながらそんな時代の到来を感じた。

私はコロナに関するニュースを避けるようになった。一月二十二日に旅に出てから、ほぼ毎日、真実かどうか分からないニュースを潮のように浴びていた。初めは焦りや好奇心から読んでいたが、その後ニュースに依存するようになり、ニュースが生活のすべてとなった。常に憤りを感じていた。続いて、そういったニュースを削除し、飲み込まれたくないと思った。挙句の果てに私は鈍感になり、新しいニュースにも無意識に感覚が麻痺し、現実から逃れようとした。

ニュースの世界は、現実を超越したにおいを発していた。ベネチアの水路や街頭に人影がなくなったこと、大阪では無観客で大相撲が開催されたこと、香港ではトイレットペーパー強盗事件が発生したこと、カリフォルニア州の華僑が頻繁に銃器の店へ押しかけ始めたことなど……。

かつてなかったほど、私は日常的な、規則正しい生活を渇望した。毎朝コンビニで『The Japan News』を買い、昭和の香りが漂うコーヒー店で斎藤コーヒーを飲んだ。おそらく、あのネクタイを締めて紺色のエプロンをしている坂本龍一似の店主が斎藤さんであろう。私は静かに新聞を読み、混乱した世界が少しまとまり始めていることを知った。昼頃、近くの中華料理店で牛肉の唐辛子炒めか麻婆豆腐を食べた。救いようのない中国人の胃袋と忠誠心が満足できた。これらの規則性のある生活が、異国にいる私のいら立ちを和らげ、最初の休暇はこのようにして過ぎた。

三月十三日の『The Japan News』には、トム・ハンクス夫妻が感染したニュースが載っていた。このニュースは私の記憶を呼び醒ますものだった。私は高校時代からトム・ハンクスのファンで、彼が演じたフォレスト・ガンプは、私の希望と楽観と道徳的ルールそのものであった。そしてこのニュースはウイルスの危険性を再度鮮明にし、具体的イメージを浮かび上がらせた。

日本のリズムはまだ乱れていなかったようだ。『The Japan News』紙上では中国の報道は短く、中国のコロナについては大して注目されていなかった。私は上野の火鍋店で友人とセンマイのしゃぶしゃぶを食べ、六本木の文喫でお茶を飲み、本を読んだ。商業地区の人出はまばらだが、マスクをした人がみるみる増加した。しゃれたレストランでも予約不要で行列に並ぶ必要がなくなったが、日常生活のリズムはまだ続いていた。人々は驚くほど冷静だった。日本人が災害に遭っても冷静でいられることに、私は次第に納得した。もし早朝に目覚めて地面が揺れているのを感じても、家には防災リュックがあり、その中には加熱不要の食品があり、至る所に避難場所の表示があるのだから、落ち着いていられるのだろう。地震や津波、放射能漏れと比べれば、目の前の危機はそれほどはっきりしたものではない。それに、東京の人すべてが予測不可能な危機を待っている。関東大震災からもうすぐ百年になる。多くの地震専門家が、同規模の大地震がもうすぐ発生すると予測しているが、それがいつなのか、どのようにやってくるのか、誰にも分からない。

三月二十四日、東京都知事の小池百合子氏は、患者数が急増したことを報告し、東京の人々に対し「三密」回避と「ステイホーム」を呼びかけ、ロックダウンについて検討していた。ロックダウンという言葉は世界中の主要な報道に出ていたが、私は東京がどのように対応するのか興味を持った。

いら立ちが再び私の心に沸き起こった。オリンピックの延期が宣言されたとき、誰もが危険が差し迫っていることを意識しただろう。これは、東京がこの国際的な大イベントのために、情報操作をする必要がなくなったことを意味した。すべての官僚システムがみな似たような先送りや否定を繰り返したが、立憲政治の、民主政治と報道の自由が保証されたこの国では、この種の先送りや否定はますます困難になり、その代価も上がった。

私は無意識に窓を開けた。自分がマスクをつけ忘れていたことに気づいて、換気が感染リスクを下げると思ったのかもしれない。銀座五丁目で下車した。

鎌倉のシャツの店はまだ営業していた。試着したとき、メモしたばかりの日本語で店員に話しかけた。すると突然相手が言った。中国からお越しですか、と。身長の高い若者で、百九十センチはあっただろう。しかし、私が心底驚いたのは彼の北京訛りだった。大柵欄や広渠門特有の訛りで、しかもひと世代上の人しかできない発音だった。ほかの人もきっと、彼が民国時代の劇場や茶楼からやってきた人で、「旦那様、ようこそ」と言いそうな気がするだろう。

この時、私は緊張が少しほどけた。楊さんは崇文区の人で、東京に来てもう六年だった。その間一度も帰省していない。家族との間に解決しがたい問題を抱えていたのだろう。大げさで伝統劇のような彼のボディランゲージには何かにじみ出るものがあった。商売上がったりの時期に、北京人の客がやってきて、故郷の訛りを思う存分話せることに彼は興奮していた。会計の時、私は日本人の店員に英語で言った。あなたの同僚の楊さんの北京語は、日本の江戸時代の言葉みたいなものですよ、と。

店を出るとき、突然妙な感覚に襲われた。令和の時代が本当に始まったのだ、平成の時代よりも、起伏の激しい時代になるに違いない。

二〇二〇年四月記す

本書の執筆者

姜建強（きょう けんきょう）
日本在住研究者

万景路（まん けいろ）
日本在住作家

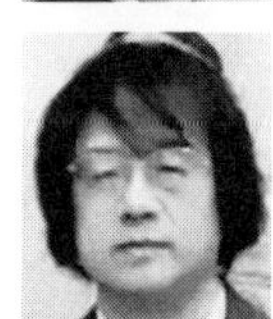

張　石（ちょう せき）
ジャーナリスト

庫　索（こ さく）
日本在住作家

蘇枕書（そ ちんしょ）
日本在住作家

張意意（ちょう いい）
日中翻訳家

唐辛子（とう がらし）
日本在住作家

毛丹青（もう たんせい）
日本在住作家、神戸国際大学教授

許知遠（きょ ちえん）
日本在住作家

劉　檸（りゅう ねい）
作家、芸術評論家

張　豊（ちょう ほう）
日本在住コラムニスト

吉井忍（よしい しのぶ）
北京在住日本人ライター

伊藤日実子（いとう ひみこ）
中国向けの広告代理店にて勤務

日中翻訳学院 本書翻訳チーム
チーム参加者紹介

石井敏愛（いしい としちか）

慶応義塾大学法学部政治学科卒業。会社員。日中翻訳学院出版翻訳プロ養成「武吉塾」「高橋塾」で翻訳を学ぶ。

平松宏子（ひらまつ ひろこ）

大阪外国語大学大学院言語社会研究科通訳翻訳学専修コース修了。高校教諭（国語科）。日中翻訳学院出版翻訳プロ養成「武吉塾」「高橋塾」で翻訳を学ぶ。『読書の社会学—国民読書推進のために—』（日本僑報社）など翻訳チーム参加。

金戸幸子（かねと さちこ）

慶應義塾大学法学部政治学科卒業、東京大学大学院総合文化研究科国際社会科学専攻修了。フリーランス日中翻訳者。日本語教師。日中翻訳学院出版翻訳プロ養成「高橋塾」で翻訳を学ぶ。

菅原尚子（すがわら なおこ）

京都大学文学部卒業。公務員を経て、現在はフリーランス日中翻訳者。日中翻訳学院出版翻訳プロ養成「高橋塾」で翻訳を学ぶ。『中国初の国家公園 三江源国家公園 高原動物植物図鑑』（日本僑報社）翻訳チーム参加。

総編集者

胡一平（こ いっぺい）

公益財団法人笹川平和財団笹川日中友好基金 特任研究員

喩　杉（ゆ さん）

一杉広告代表、南翔書苑創始者

編集者

庫　索（こ さく）

日本在住作家、笹川日中友好基金『一覧扶桑』（メディアアカウント）編集長

訳者 日中翻訳学院 本書翻訳チーム

日本僑報社が2008年に設立。よりハイレベルな日本語・中国語人材を育成するための出版翻訳プロ養成スクール。

http://fanyi.duan.jp/

知日家が語る「日本」

2022年12月28日　初版第1刷発行

総編集者　胡 一平（こ いっぺい）、喩 杉（ゆ さん）

編 集 者　庫 索（こ さく）

訳　　者　日中翻訳学院 本書翻訳チーム

発 行 者　段 景子

発 売 所　日本僑報社

〒171-0021 東京都豊島区西池袋3-17-15

TEL03-5956-2808　FAX03-5956-2809

info@duan.jp

http://jp.duan.jp

e-shop「Duan books」

https://duanbooks.myshopify.com/

Printed in Japan.　ISBN 978-4-86185-327-2　C0036

病院で困らないための日中英対訳
医学実用辞典

第1位 Amazon ベストセラー〈医学辞事典・白書〉(2016/4/1)

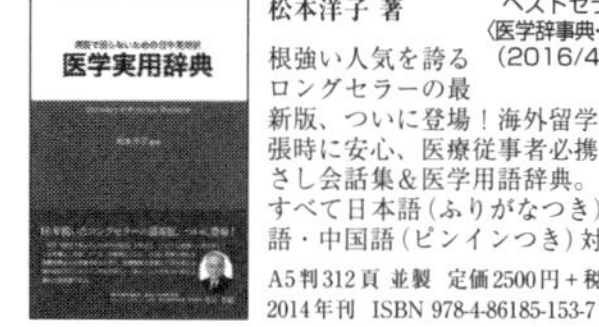

松本洋子 著

根強い人気を誇るロングセラーの最新版、ついに登場！海外留学・出張時に安心、医療従事者必携！指さし会話集＆医学用語辞典。
すべて日本語（ふりがなつき）・英語・中国語（ピンインつき）対応。

A5判312頁 並製 定価2500円＋税
2014年刊 ISBN 978-4-86185-153-7

俳優・旅人 関口知宏 著
「ことづくりの国」日本へ
そのための「喜怒哀楽」世界地図 **新装版**

ＮＨＫ「中国鉄道大紀行」で知られる著者が、人の気質要素をそれぞれの国に当てはめてみる「『喜怒哀楽』世界地図」持論を展開。

四六判248頁 並製 定価1800円＋税
2018年刊 ISBN 978-4-86185-266-4

アメリカの名門CarletonCollege発、全米で人気を博した
悩まない心をつくる人生講義
—タオイズムの教えを現代に活かす—

チーグアン・ジャオ 著
町田晶（日中翻訳学院）訳

2500年前に老子が説いた教えにしたがい、肩の力を抜いて自然に生きる。難解な老子の哲学を分かりやすく解説し米国の名門カールトンカレッジで好評を博した名講義が書籍化！

四六判247頁 並製 定価1900円＋税
2016年刊 ISBN 978-4-86185-215-2

同じ漢字で意味が違う
日本語と中国語の落し穴
用例で身につく「日中同字異義語100」

久佐賀義光 著
王達 中国語監修

“同字異義語”を楽しく解説した人気コラムが書籍化！中国語学習者だけでなく一般の方にも。漢字への理解が深まり話題も豊富に。

四六判252頁 並製 定価1900円＋税
2015年刊 ISBN 978-4-86185-177-3

中国人の食文化ガイド
心と身体の免疫力を高める秘訣

熊四智 著　日中翻訳学院 監訳
山本美那子 訳・イラスト

“料理の鉄人”陳建一氏 推薦!!
読売新聞書評掲載（2021/1/24）

第5位 Amazonベストセラー〈中国の地理・地域研究〉(2020/12/2)

四六判384頁 並製 定価3600円＋税
2020年刊 ISBN 978-4-86185-300-5

わが七爸(おじ) 周恩来

第1位 Amazon ベストセラー〈歴史人物評伝〉(2022/9/29~10/1)

周爾鎏 著
馬場真由美
松橋夏子 訳

新中国創成期の立役者・周恩来はどのような人物であったのか。親族だからこそ知りえた周恩来の素顔、真実の記憶、歴史の動乱期をくぐり抜けてきた彼らの魂の記録。

A5判280頁 上製 定価3600円＋税
2019年刊 ISBN 978-4-86185-268-8

二階俊博 —全身政治家—

石川好 著

日本のみならず、お隣の大国・中国でも極めて高い評価を受けているという二階俊博氏。
その「全身政治家」の本質と人となり、「伝説」となった評価について鋭く迫る、最新版の本格評伝。

四六判312頁 上製 定価2200円＋税
2017年刊 ISBN 978-4-86185-251-0

アジア共同体の構築
—実践と課題—

山梨学院大学教授 熊達雲 編

21世紀の今、アジアが最も注目する地域連携構想「アジア共同体（ワンアジア）」。その課題とこれからの行方を、世界で活躍する研究者らが多角的視点と考察で検証する斬新な一冊。

A5判224頁 並製 定価3600円＋税
2021年刊 ISBN 978-4-86185-307-4

この本のご感想をお待ちしています!

本書をお買い上げいただき、誠にありがとうございます。本書へのご感想・ご意見を編集部にお伝えいただけますと幸いです。下記の読者感想フォームよりご送信ください。

なお、お寄せいただいた内容は、今後の出版の参考にさせていただくとともに、書籍の宣伝等に使用させていただく場合があります。

日本僑報社 読者感想フォーム

http://duan.jp/46.htm

中国関連の最新情報や各種イベント情報などを、毎週水曜日に発信しています。

メールマガジン「日本僑報電子週刊」
登録ページ（無料で購読できます）

http://duan.jp/cn/chuyukai_touroku.htm

日本僑報社 ホームページ
http://jp.duan.jp

日本僑報社 e-shop「DuanBooks」
https://duanbooks.myshopify.com/